CUPCAKES

PARA TODOS OS GOSTOS

chocolate • iogurte • frutas frescas e secas • geleia • especiarias

CUPCAKES

PARA TODOS OS GOSTOS

chocolate • iogurte • frutas frescas e secas • geleia • especiarias

PUBLIFOLHA

Gail Wagman

Um livro da Hachette UK Company

Título original: *Cupcakes Galore*

Publicado pela primeira vez no Reino Unido em 2006 pela MQ Publications, divisão do Octopus Publishing Group Ltd., Endeavour House, 189 Shaftesbury Avenue
Londres, WC2H 8JY
www.octopusbooks.co.uk

COORDENAÇÃO DO PROJETO: PUBLIFOLHA
Editora-assistente: Paula Marconi de Lima
Coordenação de produção gráfica: Mariana Metidieri
Produção gráfica: Rodrigo Andrade

PRODUÇÃO EDITORIAL: ESTÚDIO SABIÁ
Tradução: Cynthia Costa
Preparação de texto: Olga Sérvulo
Revisão: Rosane Albert e Hebe Lucas
Editoração eletrônica: Nobreart Comunicação

EDIÇÃO ORIGINAL: OCTOPUS PUBLISHING
Fotografia: Olivier Maynard
Design: Clare Barber

Pessoas com restrições alimentares devem ficar atentas aos ingredientes indicados nas receitas.

O forno deve ser preaquecido na temperatura indicada.

As fotos deste livro podem conter acompanhamentos ou ingredientes meramente ilustrativos.

Dados Internacionais de Catalogação na Publicação (CIP)
(Câmara Brasileira do Livro, SP, Brasil)

Wagman, Gail
Cupcakes para todos os gostos / Gail Wagman; [tradução Cynthia Costa]. -- São Paulo : Publifolha, 2011 – (Coleção Culinária para todos os gostos).

Título original: Cupcakes galore.
ISBN 978-85-7914-330-4

1. Cupcakes (Culinária) 2. Receitas culinárias
I. Título.

11-10580 CDD-641.5

Índices para catálogo sistemático:
1. Cupcakes : Receitas : Culinária : Economia doméstica 641.5

Este livro segue as regras do Acordo Ortográfico da Língua Portuguesa (1990), em vigor desde 1º de janeiro de 2009.

PUBLIFOLHA
Divisão de Publicações do Grupo Folha
Al. Barão de Limeira, 401, 6° andar
CEP 01202-900, São Paulo, SP
Tel.: (11) 3224-2186/2187/2197
www.publifolha.com.br

Impresso na C&C Offset Printing Co., China

SUMÁRIO

INTRODUÇÃO

Um livro sobre cupcakes traz imediatamente à cabeça a imagem dos lindos bolinhos supercoloridos que invadiram as confeitarias brasileiras nos últimos anos.

Fora do país, eram feitos com massa branca ou de chocolate e decorados com montes de glacê e confeitos de chocolate, coco ralado, frutas cristalizadas ou castanhas. Eram servidos numa grande bandeja, cada um com uma velinha a ser apagada pelo(a) aniversariante, ou levados à escola no dia especial, para serem compartilhados na hora do recreio. É claro que, desde então, os cupcakes mudaram muito, graças à quantidade de acessórios e ingredientes disponíveis nos mercados e nas lojas especializadas, de decorações a forminhas. Apareceram também receitas específicas de cupcakes e outras que podem ser adaptadas a esse formato. Voltaremos a elas mais para a frente. Agora, vamos começar do começo. O que é um cupcake? E o que não é? O dicionário Webster o define da seguinte forma:

bolinho assado em fôrma parecida com uma xícara.

Essa definição básica diz tudo — xícara, em inglês, é *cup* —, deixando, ainda, espaço para interpretação, criatividade e talvez um pouco de confusão.

★ UM CUPCAKE COM QUALQUER OUTRO NOME... ★

O cupcake é inegavelmente um bolinho, mas nem todo bolinho é um cupcake – apenas os que são assados em forminhas parecidas com xícaras. Há uma diferença, também, em relação ao muffin, que, embora também possa ser assado em forminhas, está mais para um pão rápido do que para um bolo. Algumas receitas de cupcake também são rápidas, mas o resultado é diferente. E o cupcake precisa ser decorado para ser chamado como tal? De maneira geral, é possível dizer que sim, que ele realmente pede um toque festivo a mais. Por outro lado, alguns cupcakes deste livro levam apenas um pouco de açúcar de confeiteiro polvilhado ou calda como cobertura, sem muito exagero. Há quem atribua a origem do cupcake ao humilde bolo simples, que usa xícaras de chá como medida: ½ xícara de manteiga, 2 de açúcar, 3 de farinha e 4 ovos. Essa massa pode ser usada em cupcakes (com um pouco mais de sabor, uma boa dose de imaginação e uma cobertura tentadora), mas essa é a receita do bolo comum, bem diferente de um cupcake.

Por isso, estes bolinhos devem seguir três critérios básicos. Siga-os e não haverá erros:

1) cupcakes devem ser bonitos;

2) cupcakes devem ser gostosos;

3) cupcakes devem ser divertidos.

★ ESTRELAS DA FESTA ★

Definir o cupcake é como falar da latinha de refrigerante, em comparação com a garrafa. Ou, ainda, do biquíni, se colocado lado a lado com o maiô. Eles são versões menores do original que ganharam um jeito de ser próprio – daí a confusão. Ao tratar de cupcakes, a maioria dos livros de receita sérios concorda em que quase todas as massas de bolo podem ser assadas em porções individuais. De fato, são raras as massas que não podem ser assadas em formato de cupcake e cobertas e decoradas como tal. Neste livro, os cupcakes são tratados como as estrelas da festa – por isso não há cupcakes salgados aqui, eles podem entrar em compilações de muffins. Os dois critérios básicos adotados foram: 1) todos devem ser feitos com algum tipo de massa (a ser definida); e 2) eles podem ser feitos em forminhas de metal, forradas ou não com forminhas de papel, nos tamanhos pequeno, padrão ou grande. Foi incluída uma seção a mais chamada Cupcakes diferentes, na qual foram

reunidos aqueles que podem ou não se encaixar nesses critérios específicos, mas que ainda podem ser assados em fôrmas de metal e servidos em fôrmas de papel, e que passariam por cupcakes com um pouco de imaginação.

Este livro reúne receitas de origem diversa – cupcakes de inspiração francesa, italiana, austríaca, irlandesa e marroquina. Além disso, várias receitas são temáticas, com decoração especial para o Dia do Namorados, o Dia das Bruxas, o Natal, o Réveillon e a Páscoa.

Todas as receitas foram testadas e aprovadas pela equipe da autora.

DICAS ESPERTAS

Aqui estão algumas orientações para ajudar no preparo de cupcakes. Coloque o avental e mãos à obra!

★ RECEITAS ★

Quase todas as receitas deste livro (exceto algumas da seção Cupcakes diferentes) são, na verdade, receitas de bolo adaptadas para cupcakes. Como foi comentado na Introdução, praticamente qualquer receita de bolo pode se tornar uma receita de cupcake. Apenas o tempo de cozimento irá mudar, porque cupcakes levam menos tempo do que os bolos, assim como minicupcakes também levam menos tempo que os cupcakes de tamanho padrão ou os grandes. Separe sua receita de bolo favorita, asse em forminhas de cupcake, cubra e polvilhe com açúcar ou faça uma decoração, criando, assim, sua própria receita. Deixe-se levar pela imaginação.

★ INGREDIENTES ★

Como regra geral, todos os ingredientes devem estar em temperatura ambiente, a menos que esteja indicado na receita (frutas congeladas, leite quente etc.). Use farinha de trigo comum em todas as receitas do livro. Não é preciso usar farinha de trigo com fermento, pois já contém sal, e é preferível acrescentar o fermento à parte – em geral, 1 colher (chá) de fermento em pó a cada 150 g de farinha de trigo. O bicarbonato de sódio é usado apenas para quebrar a acidez, em receitas que levam, por exemplo, iogurte e sucos cítricos. Se não for por isso, não há necessidade de usá-lo. Sempre que possível, misture todos os ingredientes secos antes de acrescentá-los à massa. O que nos leva à questão: peneirar ou não peneirar? Geralmente, peneirar não faz diferença na receita, a não ser que se esteja acrescentando pequenas quantidades de farinha às claras em neve, evitando, assim, que a farinha desfaça os picos da clara. Em antigos livros de receita dos anos 1950, às vezes os ingredientes são peneirados três vezes antes da medição. Não é necessário perder tempo com isso.

Use apenas manteiga sem sal. Se for usar com sal, não adicione mais à receita. Sal e cremor de tártaro são usados para estabilizar as claras em neve. Use cerca de ⅛ de colher (chá) de cremor de tártaro ou uma pitada de sal para 2 claras em neve.

★ ASSAR ★

A maioria das receitas pede para que se preencha até ⅔ das forminhas. Há exceções, claro – se for usar uma cobertura espessa, é bom deixar mais espaço (Cupcakes de aveia com geleia, por exemplo). A não ser que haja outra indicação, o forno será sempre preaquecido a 180°C. Algumas receitas pedem forno mais quente ou mais frio e, às vezes, a temperatura é diminuída durante o cozimento. Nesse caso, siga a receita. Geralmente, é possível assar tudo em forno moderado e preaquecido. Lembre-se de que as temperaturas variam de um fogão para outro, então observe o funcionamento do seu e use o bom-senso. Há tantas variáveis – clima, altitude, localização na cozinha, se é a primeira ou segunda fornada etc... É recomendável espetar um palito nos cupcakes para ver se estão prontos. Se o palito sair limpo, já está na hora de tirar. Alguns cupcakes são úmidos no meio (Musse de chocolate ou os que são cozidos com frutas, como Cupcakes com creme de frutas vermelhas), desafiando, assim, esse teste do palito. De toda forma, quando começarem a queimar, independentemente da receita, você sabe que passaram do ponto!

É melhor deixar esfriar antes de desenformar. Coloque-os sobre uma grade ou travessa assim que retirar o forno. Alguns podem ser desenformados 10 minutos depois, enquanto outros, mais densos, precisam estar totalmente frios.

Para resumir, pode-se dizer que qualquer regra ou técnica aplicada a bolos também serve para cupcakes.

EQUIPAMENTO

Os acessórios para preparar cupcakes podem ser encontrados em lojas especializadas em cozinha ou até em supermercados.

★ FÔRMAS ★

Existem fôrmas de cupcake (ou de muffin) de vários tamanhos, mas há três principais: mini (3-5 cm de diâmetro, com capacidade para 30 ml de massa, ou 2 colheres de sopa), padrão (7 cm de diâmetro, com capacidade para 60 a 80 ml de massa) e grande (8,5 cm de diâmetro, com capacidade para 150 ml de massa). O número de canecos das fôrmas também varia. Há fôrmas de minicupcakes com vinte canecos e outras com trinta. As fôrmas de metal têm, em geral, doze canecos para cupcakes de tamanho padrão, enquanto as de silicone são menores. Se a fôrma for de metal, é melhor untá-la e polvilhar com farinha de trigo se não for forrar com forminhas de papel – embora não haja mesmo razão para não usá-las, já que, sem elas, a bagunça é bem maior. As novas forminhas de silicone são muito práticas e resistentes às altas temperaturas do forno. São antiaderentes e os cupcakes soltam facilmente assim que esfriam. Há variedades mais e menos rígidas, e também são fáceis de limpar. Lembre-se apenas de colocar as mais moles sobre uma assadeira. Prefira fôrmas de metal quando for usar forminhas de papel e as de silicone quando não utilizá-las.

★ FORMINHAS DE PAPEL ★

Há forminhas de papel de todo tipo, de cores e formatos variados, além de modelos para todas as ocasiões – Natal, Dia dos Namorados, Dia das Bruxas etc. – e as estações, com folhas de outono e flores de primavera, entre outras. Também há forminhas decoradas com bonecas, corações, bolas de futebol e até objetos não identificáveis. Nos supermercados, geralmente encontramos as mais simples, enquanto lojas especializadas em produtos para cozinha oferecem as mais diferentes. Além de diversas cores, há também douradas e prateadas. Nas versões míni e grande, a variedade é um pouco menor. Mas forminhas simples já são suficientes. Afinal, o que está dentro é o que importa.

Quanto aos utensílios usados para fazer cupcakes, eles são basicamente os mesmos usados para fazer bolo – espátula, batedor, colher de pau, copos medidores e colheres, mixer ou batedeira e tigelas de todos os tamanhos. Também são necessários acessórios para fazer as coberturas; eles vêm a seguir.

DECORAÇÕES ESPECIAIS

Coberturas, caldas e, claro, decorações.

★ O TOQUE FINAL ★

Um cupcake seria um cupcake se não tivesse cobertura? Não há uma resposta certa, mas é possível dizer que o cupcake é a soma de suas partes individuais. Há ao menos uma opção de cobertura para cada cupcake deste livro – seja um creme para espalhar ou coberturas mais sólidas, como no caso dos Cupcakes de maçã ou dos Cupcakes com amêndoas caramelizadas, uma calda, como nos Cupcakes de mel e avelã, ou apenas açúcar de confeiteiro para polvilhar, como nos Cupcakes de linhaça –, mais algumas decorações.

Foi usado o termo "cobertura" para todos os casos. A definição do termo *icing*, "cobertura" em inglês, do Dicionário Webster, diz: "uma mistura doce, aromatizada e em geral cremosa, usada para cobrir bolos de todo tipo (inclusive cupcakes)". Então é possível dizer que os cupcakes são mesmo predestinados a ter algum tipo de cobertura ou calda. Afinal, o dicionário podia nem tê-los citado.

Cobrir um bolo ou cupcake é uma arte. Há muitos livros sobre isso, e todos os bons volumes de confeitaria possuem uma seção específica sobre coberturas. Aqui há muitas opções, das mais simples às mais complicadas – algumas bem fáceis, feitas com açúcar de confeiteiro e algum líquido, até coberturas cozidas, que exigem um pouco mais de habilidade e tempo. Você também pode comprar coberturas prontas em supermercados ou lojas de produtos culinários, se estiver com pressa, embora algumas receitas deste livro sejam tão rápidas quanto abrir uma lata ou ler as instruções de coberturas prontas. O fondant é um desafio até para cozinheiros mais experientes, e pode-se usar um que já vem pronto, mas adicionando um pouco de calda de açúcar, aromatizante e corante, se preciso. Faça as combinações que quiser. Você também pode criar seu fondant mudando o sabor. Por exemplo, substitua a hortelã do Glacê de hortelã por essência de lavanda ou limão, ou por algumas gotas de água de flor de laranjeira ou de roseira. Com um pouco de imaginação, você pode inventar suas próprias receitas.

E por falar em imaginação, aqui entram as decorações dos cupcakes – elas podem ser definidas simplesmente como incríveis! Nos Estados Unidos, é impressionante a variedade de decorações à venda. Ou seja, não há desculpa para cupcakes feios a essa altura do campeonato. Açúcares brilhantes, confeitos coloridos de todos os tamanhos e formatos e para todas as ocasiões, tubos de glacê pronto e de todas as cores, sprays, artigos comestíveis, como flores, palhaços, bolas de futebol – tudo que você possa imaginar – e mais os ingredientes tradicionais, como frutas, castanhas, jujubas, docinhos e biscoitos. Sendo assim, libere o "decorador de cupcakes" que existe em você e capriche na festinha.

FAVORITOS DA VOVÓ

CUPCAKES DE ABOBRINHA E PINHOLE

Esta é uma boa forma de aproveitar a abobrinha e fazer as crianças comerem o legume. Elas não vão adivinhar e com certeza pedirão mais. Também é um sucesso entre os adultos, claro.

12-14 UNIDADES

100 g de abobrinha ralada
200 g de farinha de trigo
2 colheres (chá) de fermento em pó
1 colher (chá) de sal
100 g de amêndoas moídas
1 ovo
130 g de açúcar
160 ml de creme de leite
80 ml de óleo vegetal
100 g de pinholes

COBERTURA

150 g de açúcar de confeiteiro
120 g de cream cheese em temperatura ambiente
1 clara de ovo levemente batida
uma pitada de sal
1 colher (chá) de essência de baunilha
100 g de pinholes para decorar

1. Preaqueça o forno a 180°C.
2. Numa tigela grande, misture a abobrinha, a farinha, o fermento, o sal e as amêndoas moídas.
3. Em outra tigela, misture o ovo, o açúcar, o creme de leite, o óleo e os pinholes. Junte este creme à mistura da abobrinha e bata com uma colher de pau ou batedor manual.
4. Preencha até ¾ das forminhas com a massa e leve ao forno por 20-25 minutos ou até que, ao espetar um palito no centro, ele saia limpo. Retire do forno e deixe esfriar.
5. Bata todos os ingredientes da cobertura até obter um creme leve. Cubra os cupcakes já frios e salpique os pinholes antes de servir. Uma opção é apenas polvilhar açúcar de confeiteiro por cima.

DICA
Se não tiver pinholes, use nozes, avelãs ou castanhas-do--pará.

CUPCAKES DE CHOCOLATE COM COCO

O pudim instantâneo de chocolate é uma delícia da infância. Podia ser preparado como sobremesa especial, para ser saboreado devagar, a cada colherada. Este cupcake foi criado em homenagem a essa lembrança, e o coco foi acrescentado para dar um toque especial.

12-14 UNIDADES

250 g de farinha de trigo
2 colheres (chá) de fermento em pó
1 colher (chá) de sal, mais uma pitada para as claras
3 ovos, claras e gemas separadas
100 g de açúcar mascavo
125 ml de óleo vegetal, mais 2 colheres (sopa)
100 g de coco ralado, mais 2 colheres (sopa) para polvilhar
2 colheres (sopa) de chocolate em pó
120 g de chocolate amargo ralado
4 colheres (sopa) de leite
pudim de chocolate (instantâneo, comprado pronto ou caseiro)
chantilly para decorar
chocolate em pó para polvilhar

1. Preaqueça o forno a 180°C.
2. Misture a farinha, o fermento em pó e o sal . Reserve.
3. Com um batedor ou uma colher de pau, misture as gemas e o açúcar. Acrescente o óleo e a farinha com fermento e bata até ficar cremoso. Junte o coco, o chocolate em pó, o chocolate ralado e o leite e misture bem.
4. Use a batedeira para bater as claras com uma pitada de sal até ficarem firmes. Incorpore à massa de chocolate.
5. Preencha ⅔ das forminhas com a massa. Alise a massa com as costas da colher. Salpique um pouco de coco ralado sobre cada bolinho. Leve ao forno por 10 minutos, depois abaixe a temperatura para 150°C e deixe por mais 20 minutos ou até que, ao espetar um palito no centro, ele saia limpo. Retire do forno e deixe esfriar.
6. Quando os cupcakes estiverem frios, corte um círculo no topo de cada um e preencha com pudim de chocolate. Decore com chantilly e polvilhe o chocolate em pó.

CUPCAKES PRETO E BRANCO

Estes bolinhos foram inspirados nos biscoitos preto e branco, populares nos Estados Unidos. Nova-iorquinos adoram a versão cupcake.

16 UNIDADES

- 225 g de farinha de trigo
- 2 colheres (chá) de fermento em pó
- 1 colher (chá) de sal, mais uma pitada para as claras
- 180 g de manteiga sem sal em temperatura ambiente
- 200 g de açúcar
- 2 ovos, claras e gemas separadas
- 80 ml de leite integral
- 1 colher (chá) de essência de baunilha
- 1 colher (sopa) de chocolate em pó

COBERTURA

- 300 g de açúcar de confeiteiro
- 60 ml de água fervente
- 30 g de chocolate amargo
- confeitos de chocolate para decorar

1. Preaqueça o forno a 180°C. Misture os ingredientes secos (menos o açúcar e o chocolate em pó) numa tigela.
2. Na tigela maior da batedeira, bata a manteiga e o açúcar até obter um creme fofo. Acrescente as gemas e bata mais. Adicione, alternadamente, os ingredientes secos e o leite, batendo bem após cada adição. Divida a massa em duas tigelas. Misture a baunilha em uma e o chocolate em pó na outra.
3. Bata as claras com uma pitada de sal até formar picos. Incorpore metade a cada massa.
4. Preencha ⅔ das forminhas alternando as massas, colocando 1 colher (sopa) de cada uma por vez. O efeito marmorizado é obtido no cozimento. Asse por 25 minutos ou até que, ao espetar um palito no centro dos bolinhos, ele saia limpo. Retire do forno e deixe esfriar.
5. Para a cobertura, coloque o açúcar numa tigela média e junte aos poucos a água fervente, 1 colher (sopa) por vez. A consistência deve ficar espessa, mas fácil de espalhar. Divida em duas partes.
6. Misture metade da cobertura com o chocolate e derreta em banho-maria, encaixando a tigela refratária sobre uma panela com água fervente. Espalhe as duas coberturas ainda mornas sobre os cupcakes, criando a decoração metade branca, metade preta. Finalize com um confeito.

CUPCAKES DE MIRTILO COM CHANTILLY

O truque é descongelar os mirtilos até que fiquem com consistência de purê, pois assim darão a coloração azulada à massa.

18 UNIDADES PADRÃO OU 8 GRANDES

375 g de farinha de trigo
3 colheres (chá) de fermento em pó
1 colher (chá) de sal
125 g de manteiga sem sal em temperatura ambiente
200 g de açúcar
2 ovos
240 ml de creme de leite ou leite
225 g de mirtilos divididos em 1 grupo com 135 g e outro com 90 g (se usá-los congelados, descongele antes)
1 colher (sopa) de água

COBERTURA

240 ml de chantilly
50 g de açúcar
45 g de mirtilos reservados
mirtilos para decorar

1. Preaqueça o forno a 180°C. Misture a farinha, o fermento e o sal. Reserve.
2. Na tigela grande da batedeira, bata a manteiga e o açúcar até obter um creme fofo. Acrescente um ovo por vez, batendo bem após cada adição. Coloque aos poucos a mistura de farinha e o creme de leite ou leite.
3. Com um garfo, amasse 135 g de mirtilos com 1 colher (sopa) de água, até obter um purê. Reserve 45 g para a cobertura. Junte 90 g à massa e misture bem. A massa vai ficar azulada. Adicione com cuidado os outros 90 g de mirtilos.
4. Preencha ⅔ das forminhas com a massa. Leve ao forno por 20-25 minutos ou até que, ao espetar um palito no centro, ele saia limpo. Retire do forno e deixe esfriar.
5. Para o chantilly, bata o creme de leite com a batedeira até começar a formar picos. Adicione aos poucos o açúcar, batendo sem parar. Junte os mirtilos reservados e bata até ficar firme.
6. Cubra os cupcakes com o chantilly e salpique por cima mirtilos, se quiser. Leve à geladeira até a hora de servir. Uma opção é apenas polvilhar açúcar de confeiteiro, pois a massa já tem uma coloração muito bonita.

CUPCAKES BROWNIE

Esta é uma receita que a garotada adora! Uma boa dica para o lanche, quando a turma se reúne para estudar.

12 UNIDADES

150 g de farinha de trigo
1 colher (chá) de fermento
1 colher (chá) de sal
180 g de chocolate amargo picado
80 g de manteiga sem sal em temperatura ambiente cortada em pedaços
150 g de açúcar
2 ovos
1 colher (chá) de essência de baunilha
100 g de nozes picadas

COBERTURA

90 g de chocolate amargo picado
200 g de açúcar
80 ml de leite
3 colheres (sopa) de manteiga sem sal
1 colher (sopa) de glicose de milho
uma pitada de sal
1 colher (chá) de essência de baunilha

PARA DECORAR

50 g de castanhas de caju ou nozes picadas (opcional)
confeitos de chocolate

1. Preaqueça o forno a 180°C.
2. Misture a farinha, o fermento e o sal. Reserve.
3. Coloque o chocolate, a manteiga e o açúcar numa tigela refratária grande e leve ao fogo em banho-maria, sobre uma panela com água fervente, para derreter. Mexa de vez em quando (mas não deixe cozinhar). Retire do fogo e junte um ovo de cada vez, misturando após cada adição. Acrescente a baunilha e, aos poucos, os ingredientes secos. Quando a massa estiver cremosa e os ingredientes secos absorvidos, junte as nozes picadas.
4. Distribua a massa em 12 forminhas, alisando por cima com as costas de uma colher. Leve ao forno por 20-25 minutos. Os cupcakes devem ficar com uma crosta por cima e um pouco úmidos por dentro. Retire e deixe esfriar completamente antes de desenformar.
5. Para a cobertura, coloque todos os ingredientes, exceto a baunilha e as nozes, numa panela. Deixe ferver e cozinhe por 1 minuto, mexendo sempre. Retire do fogo e deixe esfriar (mergulhe o fundo da panela na água fria para acelerar o processo).
6. Junte a baunilha e bata por cerca de 10 minutos ou até ganhar consistência. A cobertura deve ficar fofa e mais clara. Se for usar nozes picadas, misture nesta etapa. Cubra os cupcakes já frios. Finalize cada um com nozes ou castanhas picadas e um confeito de chocolate.

CUPCAKES DE AMENDOIM E CHOCOLATE

Amendoim e chocolate formam uma dupla muito querida, imortalizada em doces e receitas tradicionais.

18 UNIDADES

300 g de farinha de trigo
2 colheres (chá) de fermento em pó
1 colher (chá) de sal
60 g de chocolate amargo
60 g de manteiga sem sal em temperatura ambiente
4 colheres (sopa) de pasta de amendoim
200 g de açúcar
2 ovos
180 ml de leite
120 g de confeitos de amendoim com chocolate (opcional)

COBERTURA

90 g de chocolate ao leite
60 g de manteiga sem sal em pedaços
250 g de açúcar de confeiteiro
uma pitada de sal
60 ml de creme de leite
1 colher (chá) de essência de baunilha
3 colheres (sopa) de pasta de amendoim
amendoins cobertos com chocolate

1. Preaqueça o forno a 180°C.
2. Misture a farinha, o fermento e o sal. Reserve.
3. Leve o chocolate ao fogo numa tigela refratária grande sobre água fervente (banho-maria) até derreter. Retire e deixe esfriar.
4. Na tigela grande da batedeira, bata a manteiga, a pasta de amendoim e o açúcar até obter um creme fofo. Junte um ovo por vez, batendo bem após cada adição. Adicione o chocolate já frio e bata mais. Junte também aos poucos os ingredientes secos.
5. Distribua a massa nas forminhas de papel, preenchendo-as até ⅔. Salpique os confeitos, pressionando-os um pouco na massa com um garfo. Asse por 35 minutos ou até que, ao espetar um palito no centro, ele saia limpo. Retire do forno e deixe esfriar.
6. Para fazer a cobertura, aqueça o chocolate e a manteiga numa tigela refratária grande sobre água fervente (banho-maria) até derreterem. Retire e deixe esfriar.
7. Com um batedor ou uma colher de pau, bata o açúcar, o sal, o creme de leite e a baunilha, até obter um creme liso. Leve à geladeira (20-30 minutos).
8. Retire, bata até ganhar uma consistência boa para espalhar e cubra os cupcakes já frios. Decore com confeitos.

CUPCAKES DE LIMÃO COM SUSPIRO

Eles dão um toque elegante ao final da refeição. Além disso, sobremesas com limão fazem sucesso devido ao sabor azedinho. Inclua esta em seu repertório.

12 UNIDADES

225 g de farinha de trigo
2 colheres (chá) de fermento em pó
1 colher (chá) de sal
2 colheres (sopa) de raspas de limão
125 g de manteiga sem sal
200 g de açúcar
2 ovos
2 colheres (sopa) de suco de limão

CREME DE LIMÃO

150 g de açúcar
3 colheres (sopa) de farinha de trigo
uma pitada de sal
60 ml de suco de limão
raspas de 1 limão
120 ml de água
3 gemas de ovo batidas (separe as claras para o suspiro)
65 g de manteiga sem sal

SUSPIRO

3 claras de ovo
uma pitada de sal
50 g de açúcar
açúcar para polvilhar

1. Comece pelo creme de limão. Numa tigela refratária grande, misture o açúcar, a farinha e o sal. Adicione o suco e as raspas de limão. Mexa bem. Junte a água, as gemas e a manteiga (se a manteiga ainda estiver dura, vai derreter na água quente).
2. Leve ao fogo sobre uma panela com água fervente (banho-maria) e cozinhe até ficar liso e espesso, mexendo sem parar (por cerca de 20 minutos), com um batedor. Deixe esfriar. Preaqueça o forno a 180°C.
3. Para a massa, misture a farinha, o fermento, o sal e as raspas de limão.
4. Bata a manteiga e o açúcar até obter um creme leve e fofo. Junte um ovo por vez, batendo depois de cada adição. Junte também o suco de limão e bata até ficar homogêneo. Acrescente à farinha e bata até a massa ficar lisa.
5. Distribua-a nas 12 forminhas. Leve ao forno por 15 minutos ou até dourarem por cima. Retire e deixe esfriar por 10 minutos.
6. Para fazer o suspiro, bata as claras com um pouco de sal até começarem a firmar. Junte aos poucos o açúcar, batendo até ficar firme, mas não seco.
7. Com uma faca afiada, cave com cuidado um cone em cima de cada cupcake já frio e preencha com o creme de limão.
8. Forme picos com 1 colher (sopa) de suspiro sobre cada cupcake, polvilhe açúcar. Leve ao forno por mais 5-7 minutos.

CUPCAKES DE MAÇÃ

Estes cupcakes úmidos e deliciosos lembram a receita tradicional do crumble inglês. As frutinhas vermelhas lhes dão cor e um toque azedinho.

18 UNIDADES

225 g de farinha de trigo
2 colheres (chá) de fermento em pó
1 colher (chá) de sal
2 colheres (chá) de canela
½ colher (chá) de noz-moscada moída
375 g de manteiga sem sal em temperatura ambiente
300 g de açúcar
2 ovos
240 ml de molho de maçã (recheio da receita da p. 134)
1 colher (sopa) de raspas de limão
200 g de frutinhas vermelhas de sua preferência (frescas ou congeladas)
65 g de nozes picadas (opcional)

COBERTURA

30 g de manteiga sem sal
6 colheres (chá) de açúcar
50 g de farinha de trigo
1 maçã sem casca picada
65 g de nozes picadas

1. Preaqueça o forno a 180°C.
2. Misture os ingredientes secos (menos o açúcar) e as especiarias. Reserve.
3. Na tigela grande da batedeira, bata a manteiga e o açúcar até obter um creme leve e fofo. Adicione um ovo por vez, batendo bem após cada adição. Junte também, aos poucos, os ingredientes secos, o molho de maçã e as raspas de limão e misture bem. Acrescente as frutinhas e as nozes, se quiser. Se for usá-las congeladas, não descongele antes.
4. Distribua a massa nas forminhas de papel, preenchendo-as até a metade. Alise a superfície com as costas de uma colher.
5. Para a cobertura, derreta a manteiga numa panela e adicione o açúcar, a farinha, a maçã e as nozes. Misture bem até começar a mudar de cor. Retire do fogo. Espalhe 1 colher (sopa) da cobertura sobre cada cupcake. Leve-os ao forno por 20 minutos ou até que, ao espetar um palito no centro, ele saia limpo. Retire do forno e deixe esfriar completamente antes de desenformar.

DICA
Sirva os cupcakes com uma porção de chantilly.

QUITUTES DE MELADO E NOZES

Estes cupcakes são uma verdadeira iguaria. A cobertura é o exemplo ideal de calda que vai ao fogo – é linda e dissolve na boca.

18 UNIDADES

375 g de farinha de trigo
3 colheres (chá) de fermento em pó
½ colher (chá) de sal
125 g de manteiga sem sal em temperatura ambiente
100 g de açúcar mascavo
2 ovos
240 ml de melado
120 ml de leite
65 g de nozes picadas

COBERTURA

2 claras
uma pitada de sal
240 ml de melado
1 colher (chá) de essência de baunilha
65 g de nozes picadas ou cortadas ao meio para decorar

1. Preaqueça o forno na 180°C.
2. Misture a farinha, o fermento e o sal. Reserve.
3. Na tigela grande da batedeira, bata a manteiga com o açúcar até obter um creme leve e fofo. Adicione um ovo por vez, batendo bem após cada adição. Junte alternadamente os ingredientes secos, o melado e o leite, batendo bem após as adições. Misture as nozes.
4. Distribua a massa nas forminhas de papel, preenchendo-as até ⅔. Asse por 25-30 minutos. Retire do forno e deixe esfriar.
5. Para fazer a cobertura, bata as claras com uma pitada de sal até que comecem a formar picos. Reserve.
6. Ferva o melado até que, ao ser pingado um pouquinho num copo com água fria, forme uma bola macia (cerca de 120°C no termômetro de calda). O tempo depende do melado que se está usando, mas, em geral, leva 5-10 minutos. Retire do fogo imediatamente. Misture com cuidado a calda quente às claras, batendo sem parar. Ela vai cozinhar as claras. Acrescente a baunilha e continue batendo até obter uma cobertura com picos leves.
7. Cubra os cupcakes já frios, formando picos. Coloque metade de uma noz sobre cada bolinho ou salpique com nozes moídas antes de a cobertura firmar. Ela vai ficar firme por fora e cremosa por dentro.

CUPCAKES DE GENGIBRE

O gengibre fresco e cristalizado dá a este cupcake um sabor único e pronunciado. Sirva com um chá forte ou café expresso.

12 UNIDADES

225 g de farinha de trigo
2 colheres (chá) de fermento em pó
1 colher (chá) de sal
1 colher (chá) de gengibre em pó
½ colher (chá) de canela
½ colher (chá) de pimenta-da-jamaica
uma pitada de noz-moscada ralada e de cravo-da-índia moído
125 g de manteiga sem sal em temperatura ambiente
150 g de açúcar mascavo
2 ovos
1 colher (chá) de essência de baunilha
1 colher (sopa) cheia de gengibre ralado
120 ml de leite
3 colheres (sopa) de gengibre cristalizado picado

COBERTURA

120 ml de creme de leite fresco gelado
4 colheres (sopa) de açúcar
½ colher (chá) de gengibre em pó
1 colher (chá) de gengibre ralado fino
fatias de gengibre cristalizado para decorar

1. Preaqueça o forno a 180°C.
2. Misture a farinha, o fermento, o sal e as especiarias. Reserve.
3. Na tigela grande da batedeira, bata a manteiga e o açúcar até obter um creme leve e fofo. Adicione um ovo por vez, batendo bem após cada adição. Adicione a baunilha e o gengibre ralado. Junte alternadamente os ingredientes secos e o leite, batendo sem parar. Quando a massa estiver lisa, acrescente o gengibre cristalizado.
4. Distribua a massa nas forminhas de cupcake, preenchendo-as até ⅔. Asse por 20-25 minutos ou até que, ao espetar um palito no centro, ele saia limpo. Retire do forno e deixe esfriar.
5. Para a cobertura, feita só na hora de servir, bata o creme de leite na batedeira até ficar quase firme. Aos poucos, junte o açúcar e o gengibre em pó, batendo sem parar até formar picos firmes. Cubra os cupcakes já frios. Salpique o gengibre ralado (sem exagerar!) e decore com uma fatia de gengibre cristalizado. Sirva logo, a menos que use algum fixador para o chantilly.

DICA

Outra opção é fazer uma calda simples, aquecendo um pouco de gengibre em conserva.

CUPCAKES DE AVEIA COM GELEIA

Podem ser servidos molhadinhos e crocantes como sobremesa ou no lanche. Se não forem todos devorados de imediato, resistem bem até o café da manhã do dia seguinte.

12 UNIDADES

125 g de manteiga em temperatura ambiente
150 g de farinha de trigo
1 colher (chá) de fermento em pó
1 colher (chá) de bicarbonato
1 colher (chá) de sal
1 colher (chá) de canela
75 g de aveia
150 g de açúcar
1 ovo
1 colher (chá) de essência de baunilha
240 ml de creme de leite com algumas gotas de limão-siciliano
12 colheres (chá) de geleia de morango

COBERTURA CROCANTE

50 g de aveia
50 g de açúcar mascavo
2 colheres (cheias) de farinha de trigo
1 colher (chá) de canela
½ colher (chá) de sal
60 g de manteiga gelada e picada

1. Coloque todos os ingredientes da cobertura no processador e bata até obter uma farofa. Reserve.
2. Preaqueça o forno a 180°C.
3. Misture os ingredientes secos (menos o açúcar) e reserve.
4. Na tigela grande da batedeira, bata a manteiga e o açúcar até obter um creme leve e fofo. Adicione o ovo e a baunilha e bata de novo. Junte alternadamente os ingredientes secos e o creme de leite com limão, batendo bem após cada adição.
5. Distribua metade da massa em 12 forminhas de papel. Coloque 1 colher (chá) de geleia sobre cada uma. Cubra com o restante da massa. Salpique a cobertura sobre os cupcakes. Asse por 25-30 minutos, ou até dourarem bem. Retire do forno e deixe esfriar.

DICA
Use a geleia de sua preferência no recheio.

BOLINHOS DE CAQUI E CASTANHA

Estes bolinhos são uma boa maneira de aproveitar a época de caqui!

18 UNIDADES

250 g de farinha de trigo
2 colheres (chá) de fermento em pó
1 colher (chá) de sal
1 colher (chá) de canela
½ colher (chá) de gengibre em pó
uma pitada de noz-moscada ralada e de cravo-da-índia moído
1 colher (sopa) de raspas de laranja
250 g de manteiga sem sal
150 g de açúcar cristal
150 g de açúcar mascavo
1 ovo
200 g de polpa de caqui (3 caquis grandes e maduros)
200 g de castanhas (de sua preferência) moídas

COBERTURA

240 g de cream cheese
30 g de manteiga sem sal
225 g de açúcar de confeiteiro
1 colher (chá) de raspas de laranja
2 colheres (chá) de suco de laranja
caqui seco para decorar (opcional)

1. Preaqueça o forno a 180°C.
2. Misture todos os ingredientes secos (menos os açúcares) e junte as raspas de laranja. Reserve.
3. Numa tigela grande, bata a manteiga e os açúcares até obter um creme fofo. Adicione o ovo e bata bem. Junte, alternadamente, a mistura de farinha e a polpa de caqui, batendo bem após cada adição. Acrescente as castanhas.
4. Distribua a massa nas forminhas, preenchendo-as até ⅔. Alise com as costas de uma colher. Asse por 25 minutos ou até que, ao espetar um palito, ele saia limpo. Retire do forno e deixe esfriar por completo antes de desenformar.
5. Para a cobertura, misture numa tigela grande o cream cheese e a manteiga, até obter um creme homogêneo. Acrescente aos poucos o açúcar e bata até obter um creme leve e fofo. Junte as raspas e o suco de laranja e leve à geladeira por cerca de 1 hora. Se quiser, depois de cobrir os cupcakes, decore com pedaços de caqui seco.

DICA

Você pode substituir a laranja por limão na massa e na cobertura.

CUPCAKES CROCANTES DE MORANGO

Morangos são atraentes e vão muito bem na massa e na cobertura, deixando os cupcakes, além de gostosos, lindos.

16 UNIDADES PADRÃO OU 8 GRANDES

150 g de morangos frescos ou congelados picados
200 g de açúcar, mais 3 colheres (sopa) se usar morangos frescos
200 g de farinha de trigo
2 colheres (chá) de fermento em pó
1 colher (chá) de bicarbonato de sódio
1 colher (chá) de sal
1 colher (chá) de canela
125 g de manteiga sem sal em temperatura ambiente
2 ovos
1 colher (chá) de essência de baunilha
240 ml de creme de leite fresco

CALDA

115 g de geleia de morango
175 g de morangos frescos cortados em quatro para decorar

1. Se for usar morangos frescos, lave-os e corte-os em pequenas fatias, Coloque-os numa peneira, salpique 3 colheres (sopa) de açúcar por cima e deixe por meia hora.
2. Preaqueça o forno a 180°C.
3. Misture a farinha, o fermento, o bicarbonato, o sal e a canela. Reserve.
4. Na tigela grande da batedeira, bata a manteiga e o açúcar até obter um creme fofo. Adicione um ovo por vez, batendo bem após cada adição. Acrescente a baunilha e, alternadamente, os ingredientes secos e o creme de leite fresco, batendo sem parar. Quando a massa estiver homogênea, junte os morangos.
5. Distribua a massa em forminhas grandes ou do tamanho padrão, preenchendo-as até ⅔. Asse por 20-25 minutos ou até que, ao espetar um palito, ele saia limpo. Retire do forno e deixe esfriar.
6. Dissolva a geleia de morango em fogo baixo. Quando estiver dissolvida, espalhe sobre os cupcakes já frios, usando um pincel. Decore compondo um círculo de fatias de morango sobre cada bolinho. Pincele mais geleia por cima para que fiquem no lugar e ganhem um brilho especial.

CUPCAKES DE IOGURTE

Estes cupcakes, facílimos de fazer, são saudáveis e saborosos e podem ser servidos como lanche ou na sobremesa, acompanhados por salada de frutas.

18 UNIDADES

125 g de iogurte natural
250 g de açúcar
3 ovos levemente batidos
½ pote de óleo
375 g de farinha de trigo
2 colheres (chá) de fermento em pó
1 colher (chá) de sal
100 g de frutas secas, frescas ou cristalizadas ou 100 g de castanhas-do-pará ou uma essência a gosto (de baunilha, amêndoa, menta, limão, flor de laranjeira etc.)

DICA
Use o pote do iogurte como copo medidor para o óleo.

1. Preaqueça o forno até 180°C.
2. Numa tigela grande, usando um batedor ou uma colher de pau, bata o iogurte, o açúcar e os ovos até obter um creme homogêneo. Acrescente o óleo e misture. Junte a farinha, o fermento e o sal até obter uma massa lisa.
3. Adicione as frutas, ou as castanhas-do-pará ou a essência de sua escolha. Para cupcakes festivos, divida a massa e use corantes comestíveis diferentes para que fiquem coloridos.
4. Distribua a massa nas forminhas, preenchendo-as até ⅔. Leve ao forno por 25 minutos ou até que, ao espetar um palito no centro, ele saia limpo. Retire do forno e deixe esfriar.

VARIAÇÃO: CUPCAKES DE IOGURTE DE FRUTAS

Com a receita básica acima, use iogurte de frutas ou já misturado a outros ingredientes; veja a seguir.

★ Se usar iogurte de frutas vermelhas, acrescente 100 g de frutas frescas, secas ou congeladas picadinhas, ou 1 colher (sopa) de kirsch ou licor.

★ Se usar iogurte de pêssego, acrescente 2 colheres (sopa) de amêndoas moídas e cubra os cupcakes já prontos com calda de damasco ou amêndoas caramelizadas.

★ Se usar iogurte de morango, decore com chantilly e morangos frescos.

CUPCAKES DE LINHAÇA E MEL

Cozinhar as sementes de linhaça no mel garante um sabor especial. O mel de lavanda é uma deliciosa opção, mas use o de sua preferência.

24 UNIDADES PADRÃO OU 12 GRANDES

200 g de sementes de linhaça
120 ml de mel
60 ml de água
375 g de farinha de trigo
1 colher (chá) de bicarbonato de sódio
1 colher (chá) de sal, mais uma boa pitada para as claras em neve
240 g de manteiga sem sal em temperatura ambiente
300 g de açúcar
4 ovos, claras e gemas separadas
1 colher (chá) de essência de baunilha
240 ml de creme de leite fresco
açúcar de confeiteiro para polvilhar

1. Preaqueça o forno a 180°C. Aqueça as sementes de linhaça com o mel e a água numa panela, por cerca de 5 minutos. Deixe esfriar.
2. Misture a farinha, o bicarbonato de sódio e o sal. Reserve.
3. Na tigela da batedeira, bata a manteiga e o açúcar até obter um creme fofo. Junte a calda com a linhaça já fria. Bata bem. Adicione uma gema por vez, batendo bem após cada adição. Acrescente a baunilha e o creme de leite, e depois os ingredientes secos, batendo bem.
4. Bata as claras com uma boa pitada de sal até ficarem firmes, mas não secas. Incorpore de leve à massa.
5. Distribua a massa nas forminhas, preenchendo-as até a metade. Leve ao forno por cerca de 15 minutos, ou até dourarem bem. O tempo de cozimento vai depender do tamanho dos cupcakes. Cubra-os com papel-alumínio e deixe por mais 5-10 minutos ou até que, ao espetar um palito no centro, ele saia limpo. Retire do forno e deixe esfriar. Polvilhe o açúcar de confeiteiro.

CUPCAKES RAIOS DE SOL

Exatamente o que a vovó recomenda! Além de lindos, estes cupcakes fornecem dose tripla de vitamina C, com suco de limão, laranja e acerola.

16 UNIDADES

300 g de farinha de trigo
2 colheres (chá) de fermento em pó
1 colher (chá) de sal
1 colher (chá) de raspas de limão e laranja
125 g de manteiga sem sal em temperatura ambiente
250 g de açúcar
2 ovos
160 ml de suco de laranja com acerola (partes iguais, de preferência)
1 colher (sopa) de suco de limão-siciliano

COBERTURA

3 colheres (sopa) de suco de limão--siciliano, de laranja e de acerola
80 ml de água
100 g de açúcar
2 colheres (sopa) de farinha de trigo
uma pitada de sal
3 gemas (ou 1 ovo e 1 gema)
frutas cítricas cristalizadas para decorar

1. Preaqueça o forno a 180°C.
2. Misture a farinha, o fermento e o sal numa tigela média. Junte as raspas e reserve.
3. Na tigela grande da batedeira, bata a manteiga e o açúcar até obter um creme fofo. Adicione um ovo por vez, batendo bem após cada adição. Junte, alternadamente, os ingredientes secos e os sucos de fruta, batendo até ficar homogêneo.
4. Distribua a massa nas forminhas, preenchendo-as até ⅔. Asse por cerca de 25 minutos ou até que, ao espetar um palito no centro, ele saia limpo. Retire do forno e deixe esfriar.
5. Misture todos os ingredientes da cobertura numa tigela refratária grande e leve ao fogo em banho-maria, sobre uma panela com água fervente. Mexa sem parar até ficar quente ao toque e espesso a ponto de cobrir as costas de uma colher.
6. Retire e deixe esfriar, mexendo de tempos em tempos para não se formar uma película por cima. Quando estiver fria, você pode cobrir com filme de PVC e levar à geladeira até a hora de usar. Espalhe sobre os cupcakes já frios e decore com as frutas cítricas cristalizadas.

DICA
Você também pode cortar uma tampa nos cupcakes e rechear com a cobertura.

CUPCAKES DA GAROTADA

CUPCAKES DE NEVE

Os marshmallows misturados à massa dão uma leveza especial a esta receita e o coco ralado confere um acabamento especial.

18 UNIDADES

300 g de farinha de trigo
2 colheres (chá) de fermento em pó
1 colher (chá) de sal, mais uma pitada para as claras em neve
125 g de manteiga sem sal em temperatura ambiente
250 g de açúcar
160 ml de leite
1 colher (chá) de essência de baunilha (ou outra essência de sua preferência)
3 claras
115 g de minimarshmallows

COBERTURA

2 claras
150 g de açúcar
60 ml de glicose de milho
uma pitada de sal
1 colher (chá) de essência de baunilha
75 g de coco ralado para decorar (opcional)

1. Preaqueça o forno a 180°c.
2. Misture a farinha, o fermento e o sal. Reserve.
3. Bata a manteiga e o açúcar até obter um creme fofo. Acrescente, alternadamente, a mistura de farinha e o leite e bata até ficar homogêneo. Aromatize com a essência.
4. Bata as claras com uma pitada de sal até que fiquem firmes, mas não secas. Incorpore de leve à massa e junte também os minimarshmallows.
5. Distribua a massa nas forminhas, preenchendo-as até ⅔. Asse por 20-25 minutos ou até que, ao espetar um palito no centro, ele saia limpo. Retire do forno e deixe esfriar.
6. Para a cobertura, misture numa tigela refratária grande as claras, o açúcar, a glicose de milho e o sal, até ficar homogêneo. Leve ao fogo em banho-maria e bata até o açúcar dissolver e o creme ficar quente. Leva 3 minutos. Retire e bata por 5-7 minutos, até esfriar e formar picos. Junte a baunilha e misture o coco, se for usar. Espalhe a cobertura, depois decore a gosto.

DICA

Esta é uma versão do que chamo de "cobertura 7 minutos". É leve e deliciosa, com um toque de marshmallow.

CUPCAKES COM COBERTURA DE CHOCOLATE E AVELÃ

A pasta de chocolate com avelã é um sucesso entre as crianças francesas (e os adultos!), seja espalhada na baguete, no crepe ou na torrada. Estes cupcakes leves vão agradar nas festinhas de aniversário ou na sobremesa para toda a família.

16 UNIDADES

250 g de farinha de trigo
2 colheres (chá) de fermento em pó
½ colher (chá) de sal
125 g de manteiga sem sal em temperatura ambiente
100 g de açúcar
3 ovos
400 g de pasta de chocolate e avelã
60 ml de leite
65 g de avelãs torradas moídas ou inteiras para decorar (opcional)

1. Preaqueça o forno a 180°C.
2. Misture a farinha, o fermento e o sal. Reserve.
3. Bata a manteiga e o açúcar até obter um creme fofo. Acrescente um ovo por vez, mexendo bem após cada adição. Junte metade da pasta de chocolate e avelã e misture bem. Adicione, alternadamente, a mistura de farinha e o leite, mexendo bem após cada adição.
4. Distribua a massa nas forminhas de papel, preenchendo-as até ⅔. Asse por 20-25 minutos ou até que, ao espetar um palito, ele saia limpo. Retire do forno e deixe esfriar.
5. Quando os cupcakes estiverem frios, cubra-os generosamente com o restante da pasta de chocolate e avelã. Salpique as avelãs ou decore com avelãs cortadas ao meio.

BOLINHOS VACA-PRETA

Estes quitutes são uma delícia nos dias quentes de verão. Experimente um bolinho num dia de calor e conheça esta combinação surpreendente.

16 UNIDADES

150 g de farinha de trigo
200 g de açúcar
1 colher (chá) de fermento em pó
1 colher (chá) de bicarbonato
1 colher (chá) de sal
120 ml de refrigerante tipo cola ou outro de sua preferência
125 g de manteiga sem sal cortada
1 ovo levemente batido
80 ml de creme de leite fresco
1 colher (chá) de essência de baunilha
115 g de minimarshmallows (opcional)

COBERTURA

300 g de açúcar de confeiteiro
uma pitada de sal
60 ml de refrigerante
125 g de manteiga sem sal cortada em pedaços
chantilly para finalizar
confeitos e canudinhos para decorar

1. Preaqueça o forno a 180°C.
2. Numa tigela grande, misture a farinha, o açúcar, o fermento, o bicarbonato de sódio e o sal. Reserve.
3. Numa panela pesada, ferva o refrigerante e a manteiga, mexendo sem parar. Retire do fogo e despeje sobre os ingredientes secos, batendo bem com uma colher de pau. Adicione o ovo, o creme de leite e a baunilha. Quando a massa estiver homogênea, junte os marshmallows.
4. Distribua a massa nas forminhas de papel, preenchendo-as até ⅔. Asse por 20-25 minutos ou até que, ao espetar um palito, ele saia limpo. Retire do forno e deixe esfriar.
5. Para a cobertura, coloque o açúcar de confeiteiro e o sal numa tigela grande.
6. Numa panela pesada, ferva o refrigerante e a manteiga, mexendo sem parar. Retire e junte aos poucos o açúcar, ainda mexendo, até ficar homogêneo. Quando a cobertura estiver fria, bata por alguns minutos com a batedeira. Cubra os cupcakes e decore-os com chantilly e confeitos, se quiser. Corte canudinhos ao meio e espete um em cada cupcake.

DELÍCIAS DE ANIVERSÁRIO

Você pode usar qualquer receita para os bolinhos, mas aqui sugiro três que com certeza farão sucesso entre as crianças – de morango, limão e chocolate. Você pode cobri-los com pasta americana colorida.

12 UNIDADES

CUPCAKES DE MORANGO
375 g de farinha de trigo
150 g de açúcar
2½ colheres (chá) de fermento em pó
1 colher (chá) de bicarbonato de sódio
½ colher (chá) de sal
240 ml de creme de leite fresco
185 g de manteiga sem sal derretida
2 ovos levemente batido
1 colher (chá) de essência de baunilha
175 g de morangos frescos picados

PASTA AMERICANA
1 receita de pasta americana (cerca de 240 g para 12 cupcakes)
corantes comestíveis (várias cores)

PARA DECORAR
coco ralado
confeitos de chocolate
doces variados
frutas cristalizadas
castanhas ou nozes

1. Preaqueça o forno a 180°C. Numa tigela grande, misture a farinha, o açúcar, o fermento em pó, o bicarbonato de sódio e o sal. Reserve.

2. Em outra tigela, bata o creme de leite, a manteiga derretida, os ovos e a baunilha. Misture os ingredientes líquidos aos secos e bata bem com uma colher de pau. Junte os morangos.

3. Distribua a massa nas forminhas de papel, preenchendo-as até ⅔. Asse por 20-25 minutos, ou até que, ao espetar um palito, ele saia limpo. Retire do forno e deixe esfriar.

4. Para fazer as coberturas, separe partes da pasta americana em tigelas diferentes e adicione gotas de um corante comestível diferente a cada porção, até conseguir a cor desejada. Crie decorações para os bolinhos usando as pastas, coco, confeitos variados, doces, castanhas etc.

VARIAÇÃO: CUPCAKES DE LIMÃO

Siga a receita dos Cupcakes de Páscoa (p. 126) e cubra com a pasta americana. Decore como quiser.

VARIAÇÃO: CUPCAKES DE CHOCOLATE

Siga qualquer das receitas de cupcake de chocolate deste livro, como Cupcakes com cobertura de chocolate e avelã (p. 44) ou Cupcakes de milkshake de chocolate (p. 58). Decore a gosto.

CUPCAKES DE CARAMELO

Esta receita leva apenas um ovo e fica leve e aveludada. Além disso, tem o toque especial da baunilha.

18 UNIDADES

180 ml de leite
1 fava de baunilha cortada no sentido do comprimento
300 g de farinha de trigo
2 colheres (chá) de fermento em pó
1 colher (chá) de sal
125 g de manteiga sem sal em temperatura ambiente
200 g de açúcar
1 ovo

COBERTURA DE CARAMELO

300 g de açúcar
180 ml de leite
2 colheres (sopa) de cacau em pó
uma pitada de sal
1 colher (sopa) de manteiga sem sal
1 colher (chá) de essência de baunilha
60 g de amendoins moídos (opcional)
cerejas ao marasquino para decorar

1. Numa panela pequena, aqueça o leite e a fava de baunilha. Quando começar a ferver, retire imediatamente e deixe esfriar por cerca de 1 hora. Quando estiver frio, retire a fava e raspe as sementes sobre o leite. Descarte a fava.
2. Preaqueça o forno a 180°C. Misture a farinha, o fermento e o sal.
3. Bata a manteiga e o açúcar até obter um creme fofo. Adicione o ovo e bata bem. Junte, alternadamente, os ingredientes secos e o leite, batendo bem após cada adição.
4. Distribua a massa nas forminhas de papel, preenchendo-as até ⅔. Asse por 15-20 minutos ou até que, ao espetar um palito, ele saia limpo. Retire do forno e deixe esfriar.
5. Para a cobertura, misture o açúcar, o leite, o cacau e o sal numa panela. Cozinhe em fogo médio até começar a ferver. Abaixe o fogo e cozinhe por 15 minutos ou até quando, ao pingar um pouco de calda na água fria (120°C no termômetro de açúcar), ela formar uma bolinha macia. Retire do fogo. Adicione a manteiga e a baunilha e misture.
6. Mergulhe a panela em água fria e bata até ganhar consistência para espalhar, por 15 minutos. Espalhe sobre os cupcakes na hora, salpique os amendoins, se quiser, e decore com cerejas antes de a cobertura firmar.

CUPCAKES DE CREME E BISCOITO

Você se lembra de quando mergulhava o biscoito no leite? Esta é uma versão dessa mania deliciosa – em formato de cupcake. Use a bolacha de sua preferência.

18-20 UNIDADES

250 g de farinha de trigo
2 colheres (chá) de fermento em pó
1 colher (chá) de sal
125 g de manteiga sem sal em temperatura ambiente
200 g de açúcar
2 ovos
1 colher (chá) de essência de baunilha
180 ml de creme de leite fresco
115 g de biscoitos recheados triturados

COBERTURA DE CHOCOLATE BRANCO

180 g de chocolate branco de boa qualidade picado
180 g de cream cheese em temperatura ambiente
185 g de manteiga sem sal em temperatura ambiente
minibiscoitos ou farelos de biscoito para decorar

1. Preaqueça o forno a 180°C.
2. Misture a farinha, o fermento e o sal. Reserve.
3. Bata a manteiga e o açúcar até obter um creme fofo. Adicione um ovo por vez, misturando bem após cada adição. Acrescente a baunilha. Incorpore, alternadamente, a mistura de farinha e o creme de leite, depois bata até ficar homogêneo. Junte os biscoitos.
4. Distribua a massa em forminhas de papel, preenchendo até ⅔. Asse por 20-25 minutos ou até que, ao espetar um palito no centro, ele saia limpo. Retire do forno e deixe esfriar.
5. Para a cobertura, leve o chocolate branco ao fogo para derreter, em banho-maria, numa tigela refratária grande, sobre uma panela com água fervente. Mexa até ficar homogêneo e cremoso, o que leva alguns minutos. Deve ficar quente ao toque.
6. Bata o cream cheese e a manteiga até obter um creme leve e fofo. Acrescente o chocolate derretido e bata de novo até incorporar. Espalhe a cobertura sobre os cupcakes imediatamente, ou vai endurecer. Pressione minibiscoitos por cima ou salpique farelos de biscoito enquanto ela ainda estiver mole. Esta cobertura se parece com o recheio de biscoitos.

CUPCAKES DE CHOCOLATE COM MARSHMALLOW

Sirva-os ainda quentes, no auge de seu delicioso sabor.

12 UNIDADES

240 g de chocolate amargo
250 g de manteiga sem sal em temperatura ambiente
4 ovos
200 g de açúcar
120 g de farinha de trigo
1 colher (chá) de sal
60 g de gotinhas de chocolate ou chocolate ralado
marshmallows ou minimarshmallows para decorar

1. Preaqueça o forno a 180°C. Derreta o chocolate e a manteiga em banho-maria, numa tigela refratária grande sobre uma panela com água fervente. Quando derreter (sem cozinhar), reserve até amornar.
2. Bata os ovos e o açúcar até obter um creme leve e espumoso. Acrescente a farinha e o sal e misture. Junte o chocolate derretido e bata até a massa ficar homogênea.
3. Distribua-a em 12 forminhas de papel. Salpique 1 colher (chá) de gotinhas de chocolate ou chocolate ralado sobre os cupcakes e leve ao forno por 15 minutos. Retire – eles devem ficar úmidos por dentro.
4. Coloque 1 marshmallow ou vários minimarshmallows sobre os cupcakes. Leve ao forno novamente para dourar, é bem rápido (tome cuidado para não passar do tempo). Retire e espere cerca de 5 minutos antes de servir, pois o marshmallow estará bem quente. Mas o melhor é servir estes cupcakes ainda mornos.

DICA
Você também pode assá-los em fôrmas de silicone e/ou substituir os marshmallows por outro confeito.

CUPCAKES COM GELEIA

Estes cupcakes são ótimos e podem ser decorados conforme a ocasião: aniversários, almoços ou lanches especiais.

12 UNIDADES

225 g de farinha de trigo
2 colheres (chá) de fermento em pó
1 colher (chá) de sal
125 g de manteiga sem sal em temperatura ambiente
200 g de açúcar
2 ovos
1 colher (chá) de essência de baunilha (ou de outro sabor, como amêndoa, flor de laranjeira etc.)
120 ml de leite
geleia ou uma conserva de sua preferência

COBERTURA BRANCA

3 colheres (sopa) de leite quente ou creme de leite
375 g de açúcar de confeiteiro

PARA DECORAR

confeitos, doces etc.

1. Preaqueça o forno a 180°C. Misture os ingredientes secos (menos o açúcar). Reserve.
2. Bata a manteiga e o açúcar até obter um creme fofo. Adicione um ovo por vez, batendo bem após cada adição. Acrescente a baunilha e, alternadamente, a mistura de farinha e o leite, batendo até ficar homogêneo.
3. Distribua a massa nas forminhas de papel, preenchendo-as até ⅔. Asse por 20-25 minutos ou até que, ao espetar um palito no centro, ele saia limpo. Retire do forno e deixe esfriar.
4. Quando os cupcakes estiverem frios, corte uma tampa no topo e recheie com a geleia. Tampe novamente.
5. Coloque o leite quente ou creme de leite numa tigela grande. Aos poucos, adicione o açúcar até ganhar consistência de cobertura. Bata mais, até ficar homogêneo e cremoso. Para que fique na consistência certa, talvez seja preciso adicionar mais açúcar ou líquido, mas lembre-se de bater após cada adição.
6. Espere os cupcakes esfriarem para cobrir. Enquanto a cobertura ainda estiver mole, salpique os confeitos ou decore a gosto.

VARIAÇÃO: CUPCAKE DE CHOCOLATE BÁSICO

Use a mesma receita, mas substitua 35 g da farinha por 35 g de cacau em pó.

VARIAÇÃO: COBERTURA DE CHOCOLATE BÁSICA

Use a receita acima, mas substitua 35 g do açúcar de confeiteiro por 35 g de cacau em pó.

CUPCAKES DE AMENDOIM

Estes cupcakes podem ser uma divertida guloseima para o Natal.

20 UNIDADES

375 g de farinha de trigo
3 colheres (chá) de fermento em pó
1 colher (chá) de sal
125 g de manteiga sem sal em temperatura ambiente
300 g de açúcar mascavo
200 g de pasta de amendoim crocante
1 colher (chá) de essência de baunilha
3 ovos
240 ml de creme de leite fresco
6 colheres (sopa) cheias de geleia

COBERTURA

60 g de manteiga sem sal em temperatura ambiente
125 g de pasta de amendoim
300 g de açúcar de confeiteiro
2 colheres (sopa) de leite

PARA DECORAR

65 g de amendoins picados
geleia

1. Preaqueça o forno a 180°C.
2. Misture a farinha, o fermento e o sal. Reserve.
3. Bata a manteiga e o açúcar até obter um creme fofo. Acrescente a pasta de amendoim e a baunilha e continue batendo. Adicione um ovo por vez, batendo bem. Alternadamente, junte o creme de leite e os ingredientes secos, sempre batendo após cada adição.
4. Misture a geleia na massa com uma faca, sem mexer demais.
5. Distribua a massa nas forminhas de papel, preenchendo-as até ⅔. Asse por 25-30 minutos. Retire do forno e deixe esfriar.
6. Para a cobertura, bata a manteiga, a pasta de amendoim e o açúcar até obter um creme leve. Aos poucos, adicione o leite e bata até ganhar consistência para espalhar. Pode ser necessário mais leite.
7. Cubra os cupcakes, coloque por cima um pouco de geleia e salpique os amendoins.

DICA

Você também pode rechear os cupcakes com a geleia, em vez de colocá-la na massa. Corte uma tampa dos cupcakes já frios, coloque a geleia dentro e tampe novamente.

CUPCAKES CROCANTES

Chocolate, nozes, marshmallow e gotas de chocolate: as crianças adoram esta mistura de sabores tanto em sorvetes e bolos quanto em cupcakes. Dá para inventar com esta receita, usando os ingredientes favoritos de sua família.

18 UNIDADES

225 g de farinha de trigo
2 colheres (chá) de fermento em pó
1 colher (chá) de sal
50 g de cacau em pó
125 g de chocolate amargo
60 ml de óleo
1 ovo
1 colher (chá) de essência de baunilha
240 ml de leite
60 g de minimarshmallows
60 g de gotinhas de chocolate amargo, mais 60 g para a cobertura
60 g de nozes picadas, mais 60 g para a cobertura
60 g de gotinhas de chocolate branco para a cobertura (opcional)

1. Preaqueça o forno a 180°C.
2. Misture a farinha, o fermento, o sal e o cacau. Reserve.
3. Derreta o chocolate numa tigela refratária, em banho-maria, sobre panela com água fervente, mas não deixe cozinhar. Use um mixer ou uma colher de pau para bater o óleo, o ovo e a baunilha. Junte, alternadamente, a mistura de farinha e o leite, batendo bem após cada adição. Quando a massa estiver homogênea, adicione 60 g de marshmallow, de gotas de chocolate e de nozes.
4. Distribua a massa nas forminhas de papel, preenchendo-as até a metade. Espalhe o restante das nozes e das gotas de chocolate por cima. Leve ao forno por cerca de 20 minutos ou até que a cobertura esteja assada. Se começar a tostar por cima antes, cubra com papel-alumínio. Pronta, retire e deixe esfriar.

DICA

Experimente com gotas de chocolate aromatizadas (menta, amendoim, café etc).

CUPCAKES BANANA SPLIT

Quem não se lembra desse sorvete da infância, quando ninguém se preocupava com a balança ou o nível de colesterol?

18 UNIDADES

300 g de farinha de trigo
2 colheres (chá) de fermento em pó
1 colher (chá) de bicarbonato
1 colher (chá) de sal
125 g de manteiga sem sal
300 g de açúcar
2 ovos
1 colher (chá) de essência de baunilha
2 bananas maduras amassadas
120 ml de creme de leite fresco
morangos picados para rechear

COBERTURA

65 g de manteiga sem sal cortada em pedaços
120 g de chocolate amargo em pedaços
450 g de açúcar de confeiteiro
80 ml de leite quente
1 colher (chá) de essência de baunilha
uma pitada de sal
cerejas em calda e docinhos de banana para decorar

1. Preaqueça o forno a 180°C.
2. Misture a farinha, o fermento, o bicarbonato de sódio e o sal. Reserve.
3. Bata a manteiga e o açúcar até obter um creme fofo. Adicione um ovo por vez, batendo bem após cada adição. Acrescente a baunilha e as bananas amassadas e misture bem. Alternadamente, coloque a mistura de farinha e o creme de leite e mexa até ficar homogêneo.
4. Distribua a massa em forminhas de papel, preenchendo-as até ⅔. Alise com as costas da colher. Asse por 20 minutos ou até que, ao espetar um palito no centro, este saia limpo. Retire do forno e deixe esfriar.
5. Quando os cupcakes estiverem frios, abra um buraco no centro deles para rechear com 1 colher (chá) de morangos picados.
6. Para a cobertura, derreta a manteiga e o chocolate numa tigela refratária, em banho-maria. Mexa até derreter, depois deixe esfriar.
7. Coloque o açúcar e o leite quente numa tigela grande e misture até incorporar. Junte a baunilha, o sal e o chocolate. Com a batedeira, bata a cobertura por cerca de 5 minutos ou até que fique lisa e espessa. Cubra os cupcakes recheados já frios. Decore com cerejas e docinhos de banana.

CUPCAKES QUERO MAIS

Something more (s'more) é um doce popular nos Estados Unidos: trata-se de um sanduíche de biscoitos, recheado com chocolate e marshmallow. Esta é sua versão cupcake.

18 UNIDADES

75 g de farinha de trigo
175 g de biscoitos maisena triturados
2 colheres (chá) de fermento em pó
1 colher (chá) de sal
125 g de manteiga sem sal em temperatura ambiente
150 g de açúcar
2 ovos
1 colher (chá) de essência de baunilha
180 ml de leite
120 g de gotas de chocolate

COBERTURA DE MARSHMALLOW

2 claras
uma pitada de sal ou ¼ de colher (chá) de cremor de tártaro
50 g de açúcar
180 ml de glicose de milho
chocolate ralado ou confeitos de chocolate para decorar

1. Preaqueça o forno a 180°C.
2. Misture a farinha, os biscoitos, o fermento e o sal. Reserve.
3. Bata a manteiga e o açúcar até obter um creme fofo. Adicione um ovo por vez, batendo bem após cada adição. Acrescente a baunilha. Junte, alternadamente, a mistura de farinha e o leite, batendo até ficar homogêneo. Misture as gotas de chocolate.
4. Distribua a massa em forminhas de papel, preenchendo-as até ⅔. Asse por 20-25 minutos ou até que, ao inserir um palito no centro, ele saia limpo. Retire do forno e deixe esfriar.
5. Para a cobertura, bata as claras com o sal ou cremor de tártaro até formar picos leves. Aos poucos, junte o açúcar, batendo sempre. Misture a glicose. A cobertura deve ficar com consistência de marshmallow. Cubra os cupcakes já frios e salpique chocolate ralado ou confeitos.

DICA

Para uma versão cozida da cobertura, use a receita da p. 42. Se estiver com pressa, utilize cobertura de marshmallow pronta.

CUPCAKES DE MILKSHAKE DE CHOCOLATE

Uma versão diferente dos deliciosos milkshakes de chocolate da infância.

18 UNIDADES

150 g de chocolate recheado com biscoito (ou crocantes) triturado
75 g de achocolatado maltado em pó
300 g de farinha de trigo
3 colheres (chá) de fermento em pó
1 colher (chá) de sal
375 g de manteiga sem sal em temperatura ambiente
200 g de açúcar mascavo
2 ovos
1 colher (chá) de essência de baunilha
240 ml de creme de leite fresco

COBERTURA

185 g de manteiga sem sal
50 g de achocolatado maltado em pó
300 g de açúcar de confeiteiro
uma pitada de sal
60 ml de leite
1 colher (chá) de essência de baunilha
chantilly (opcional)
bolinhas de chocolate para decorar

1. Preaqueça o forno a 180°C.
2. Numa tigela pequena, misture o chocolate com biscoito triturado, o achocolatado, a farinha, o fermento e o sal. Reserve.
3. Bata a manteiga e o açúcar até obter um creme fofo. Adicione um ovo por vez, batendo bem após cada adição. Acrescente a baunilha. Alternadamente, junte os ingredientes secos e o creme de leite, batendo, após cada adição, para ficar homogêneo.
4. Distribua a massa nas forminhas de papel até pouco mais da metade e leve ao forno por 20 minutos ou até que, ao espetar um palito no centro, ele saia limpo. Retire do forno e deixe esfriar.
5. Para a cobertura, bata a manteiga, o achocolatado, o açúcar e o sal, até obter um creme fofo. Aos poucos, acrescente o leite e a baunilha, sem parar de bater, até a cobertura ficar na consistência desejada. Talvez seja preciso menos leite. Cubra os cupcakes e decore com as bolinhas de chocolate maltado. Se quiser, sirva com chantilly.

DICA
Para uma versão light, substitua o creme de leite por leite desnatado.

CUPCAKES DE SOBREMESA

CUPCAKES COM VINHO DA BORGONHA

A região da Borgonha, na França, é uma das maiores produtoras de vinho do país, e algumas das melhores e mais renomadas marcas do mundo são produzidas ali. A combinação de chocolate e vinho tinto fica deliciosa!

16-18 UNIDADES

110 g de farinha de trigo
1 colher (chá) de fermento em pó
½ colher (chá) de sal
2 colheres (sopa) de cacau em pó
1 colher (chá) de canela
125 g de manteiga sem sal em temperatura ambiente
100 g de açúcar
2 ovos
60 ml de vinho tinto seco de qualidade
60 g de chocolate amargo ralado

CALDA DE CHOCOLATE

125 g de chocolate amargo de boa qualidade
60 g de manteiga sem sal
1 colher (sopa) de glicose de milho
decorações vermelhas e azuis

1. Preaqueça o forno a 180°C.
2. Misture os ingredientes secos (menos o açúcar). Reserve.
3. Bata a manteiga e o açúcar até obter um creme fofo. Adicione um ovo por vez, mexendo bem após cada adição. Alternadamente, junte os ingredientes secos e o vinho. Misture o chocolate ralado.
4. Distribua a massa em forminhas de papel, preenchendo-as até ⅔. Asse por 20-25 minutos ou até que, ao espetar um palito, este saia limpo. Retire do forno e deixe esfriar.
5. Para a calda, derreta o chocolate e a manteiga numa tigela refratária, em banho-maria. Quando derreter e ainda estiver morno ao toque, retire e misture a glicose de milho. Mergulhe os cupcakes já frios nessa calda ou cubra-os com ela. Decore com confeitos azuis e vermelhos.

DICA

Estes cupcakes combinam muito bem com um cálice de vinho do Porto ou de xerez.

CUPCAKES DE PASSAS AO RUM

Rum e uvas-passas formam uma dupla bem popular, e dá para entender por quê. O rum realça o sabor das passas, e vice-versa. Faça esta receita em forminhas de minicupcakes e sirva-os com sorvete de creme com passas.

16 UNIDADES PADRÃO OU 40 MINICUPCAKES

- 100 g de uvas-passas
- 60 ml de rum escuro
- 185 g de farinha de trigo
- 1½ colher (chá) de fermento em pó
- 1 colher (chá) de sal
- 150 g de manteiga sem sal cortada em pedaços
- 150 g de açúcar mascavo
- 3 ovos levemente batidos

COBERTURA

- 60 g de manteiga sem sal
- 300 g de açúcar de confeiteiro
- uma pitada de sal
- 3 colheres (sopa) de rum (use o líquido em que as passas ficarem de molho)
- uvas-passas para decorar

1. Deixe as passas de molho no rum por cerca de 30 minutos, virando-as de vez em quando. Escorra e reserve. Separe o líquido para usar na cobertura.
2. Preaqueça o forno a 180°C.
3. Em uma tigela grande, misture a farinha, o fermento e o sal. Reserve.
4. Numa panela pequena, derreta a manteiga e o açúcar em fogo baixo, mexendo sempre. Quando o açúcar tiver dissolvido, retire do fogo e despeje no centro dos ingredientes secos. Misture bem. Junte as uvas-passas escorridas e os ovos e mexa vigorosamente com a colher de pau, até a massa ficar homogênea.
5. Distribua a massa nas forminhas, preenchendo-as até ⅔. Asse por cerca de 25 minutos ou até que, ao espetar um palito no centro, ele saia limpo. Retire do forno e deixe esfriar.
6. Para a cobertura, bata a manteiga, o açúcar e o sal até obter um creme fofo. Adicione o rum e continue batendo. Se ficar muito espesso, acrescente mais rum; se ficar muito ralo, mais açúcar. Cubra os cupcakes e decore-os com uvas-passas.

CUPCAKES DE CERVEJA COM AMENDOIM

Estes cupcakes originais e espetaculares vão transportar você para os pubs da velha Inglaterra, unindo o sabor da cerveja e os amendoins de aperitivo servidos com ela.

12-14 UNIDADES

240 ml de cerveja preta
130 g de açúcar mascavo
90 g de manteiga sem sal cortada em pedaços
100 g de uvas-passas
250 g de farinha de trigo
2 colheres (chá) de fermento em pó
1 colher (chá) de bicarbonato
1 colher (chá) de sal
1 colher (chá) de canela
½ colher (chá) de gengibre em pó
uma pitada de noz-moscada
2 ovos levemente batidos

COBERTURA

90 g de manteiga sem sal
100 g de açúcar mascavo
2 colheres (sopa) de calda (ferva 240 ml de água com 200 g de açúcar)
½ colher (chá) de suco de limão--siciliano
200 g de amendoins torrados levemente salgados

1. Numa panela grande, ferva a cerveja, o açúcar e a manteiga. Junte as uvas-passas e cozinhe por 5 minutos em fogo médio. Retire e deixe esfriar, mexendo de vez em quando para não formar uma crosta.
2. Preaqueça o forno a 180°C.
3. Numa tigela grande, misture os ingredientes secos. Junte a cerveja fervida e mexa bem. Acrescente um ovo de cada vez, e vá batendo até a massa ficar homogênea.
4. Distribua a massa nas forminhas de papel, preenchendo-as até a metade. Asse por 15-20 minutos ou até que comece a escurecer por cima. Lembre-se de que os bolinhos ainda vão ser assados por 5-7 minutos.
5. Enquanto estiverem no forno, faça a cobertura. Numa panela, misture a manteiga, o açúcar, a calda e o suco de limão e aqueça em fogo baixo, até o açúcar dissolver, mexendo de vez em quando. Continue a cozinhar em fogo baixo por mais 5 minutos. Junte os amendoins e cozinhe por mais 2 minutos.
6. Espalhe uma camada de amendoins sobre cada cupcake. Leve de novo ao forno por 5-7 minutos. Quando os amendoins começarem a escurecer, retire e deixe esfriar antes de servir.

CUPCAKES KIR

A inspiração para estes cupcakes é o Kir, o coquetel feito com vinho branco e licor de cassis. É originário de Dijon, mas servido em bares de toda a França.

20 UNIDADES

250 g de farinha de trigo
250 g de açúcar
2 colheres (chá) de fermento em pó
½ colher (chá) de sal, mais uma pitada para as claras
120 ml de óleo vegetal
120 ml de vinho branco
4 ovos, claras e gemas separadas
150 g de amoras ou groselhas

CALDA

150 g de geleia de amora (cerca de 8 colheres (sopa) cheias)
2 colheres (sopa) de licor de cassis (opcional)

PARA DECORAR

glacê branco
uvas-passas

1. Preaqueça o forno a 180°C.
2. Misture a farinha, o açúcar, o fermento e o sal numa tigela. Aos poucos, acrescente os líquidos e misture bem. Adicione as gemas, batendo bem após cada adição. A massa deve ficar homogênea e leve.
3. Bata as claras com uma pitada de sal até ficarem firmes, mas não secas. Incorpore de leve à massa. Junte as amoras.
4. Preencha as forminhas de papel até ¾ com a massa e asse por cerca de 20 minutos ou até que, ao espetar um palito no centro, ele saia limpo.
5. Para fazer a cobertura, aqueça numa panela pequena a geleia e o licor, se for usar, por 2 minutos. Pincele os cupcakes com a calda.
6. Quando a calda estiver fria, decore com um ziguezague de glacê branco e cubra com uvas-passas.

DICA

Se quiser se inspirar no Kir Royale, substitua o vinho branco por champanhe.

CUPCAKES CAPPUCCINO

Este bolinho leve, com cobertura de café que mais parece um merengue, não só fica lindo como pode ser um ótimo acompanhamento para o cappuccino do lanche.

12 UNIDADES

150 g de farinha de trigo
2 colheres (chá) de fermento em pó
1 colher (chá) de sal
375 g de manteiga sem sal em temperatura ambiente
150 g de açúcar mascavo
2 ovos
1 colher (sopa) de essência de café
120 g de creme de leite

COBERTURA

250 g de açúcar mascavo
3 colheres (sopa) de café forte
2 claras
¼ de colher (chá) de fermento em pó ou cremor de tártaro
cacau em pó ou canela para polvilhar
raspas ou confeitos de chocolate para decorar

1. Preaqueça o forno a 180°C.
2. Peneire a farinha, o fermento e o sal. Reserve.
3. Bata a manteiga e o açúcar até obter um creme fofo. Adicione um ovo por vez, mexendo bem após cada adição. Junte a essência de café. Alternadamente, acrescente os ingredientes secos e o creme de leite, batendo até ficar homogêneo.
4. Distribua a massa por 12 forminhas de cupcake. Leve ao forno por 25 minutos ou até que, ao espetar um palito, este saia limpo.
5. Para a cobertura, misture todos os ingredientes numa tigela refratária grande. Leve ao fogo em banho-maria sobre panela com água fervente e bata por cerca de 7 minutos com um mixer, até formar picos.
6. Retire do fogo e espalhe sobre os cupcakes generosamente, com ajuda de uma colher. Polvilhe o cacau em pó antes que a cobertura endureça (ela fica firme por fora e cremosa por dentro). Salpique o chocolate ralado. Esta é uma variação da cobertura da página 42.

CUPCAKES CUBA-LIBRE

O drinque cuba-libre é feito com rum e refrigerante tipo cola e servido com um gomo de limão. Este cupcake leva refrigerante de cola na massa e tem o toque de limão.

12 UNIDADES

125 g de manteiga sem sal cortada em pedaços
120 ml de refrigerante tipo cola
150 g de farinha de trigo
1 colher (chá) de fermento em pó
1 colher (chá) de bicarbonato de sódio
½ colher (chá) de sal
200 g de açúcar
60 ml de creme de leite fresco
1 ovo levemente batido
1 colher (chá) de essência de baunilha

COBERTURA

125 g de manteiga sem sal em temperatura ambiente
300 g de açúcar de confeiteiro
uma pitada de sal
2 colheres (sopa) de rum
gomos de limão (ou de outra fruta) cristalizados para decorar

1. Numa panela média, aqueça a manteiga e o refrigerante até ferver. Retire e deixe esfriar por 10-15 minutos (mergulhe a panela na água fria para acelerar o processo).
2. Preaqueça o forno a 180°C.
3. Numa tigela grande, misture a farinha, o fermento, o bicarbonato, o sal e o açúcar. Adicione o líquido já frio e misture vigorosamente, até a massa ficar homogênea. Junte o creme de leite, o ovo e a baunilha.
4. Distribua a massa nas forminhas de papel, preenchendo-as até ⅔. Asse por 20-25 minutos ou até que, ao espetar um palito, ele saia limpo. Retire do forno e deixe esfriar.
5. Para a cobertura, bata a manteiga, o açúcar e o sal até obter um creme fofo. Aos poucos, junte o rum e bata até ganhar consistência de cobertura. Cubra os cupcakes já frios. Decore com gomos de limão cristalizados.

CUPCAKES IRISH COFFEE

Eles lembram um tipo de pão irlandês, mas com uma dose de uísque na medida certa. A cobertura dá um toque elegante.

16 UNIDADES

225 g de farinha de trigo
150 g de açúcar mascavo
1 colher (chá) de fermento em pó
1 colher (chá) de bicarbonato de sódio
1 colher (chá) de sal
1 colher (chá) de canela
½ colher (chá) de gengibre em pó
uma pitada de noz-moscada ralada
100 g de uvas-passas
65 g de castanhas picadas
2 ovos levemente batidos
120 ml de óleo
120 ml de uísque irlandês
60 g de creme de leite ou 60 ml de leite

COBERTURA MOCA

250 g de manteiga sem sal em temperatura ambiente cortada em pedaços
250 g de açúcar de confeiteiro
2 gemas
1 colher (sopa) de essência de café ou de café bem forte

1. Preaqueça o forno a 180°C.
2. Numa tigela grande, misture todos os ingredientes secos. Adicione os ovos, o óleo, o uísque e o creme de leite ou leite aos ingredientes secos e misture bem com uma colher de pau.
3. Distribua a massa nas forminhas de papel, preenchendo-as até ⅔. Asse por 25-30 minutos ou até que, ao espetar um palito, este saia limpo. Retire do forno e deixe esfriar.
4. Para a cobertura, bata a manteiga e o açúcar até obter um creme fofo. Adicione as gemas e a essência de café e bata até ganhar brilho e consistência ideal para espalhar (cerca de 10 minutos). Cubra os cupcakes já frios.

DICA

Se você estiver sem tempo ou vontade, cubra os cupcakes com chantilly sabor café ou use a cobertura irlandesa *(p. 124).*

CUPCAKES DE JULEP DE MENTA

O julep de menta é um coquetel que leva menta ou hortelã fresca, bourbon e gelo picado. Tradicionalmente, é servido numa caneca de prata durante o Kentucky Derby, nos Estados Unidos.

18 UNIDADES

150 g de farinha de trigo
1 colher (chá) de fermento em pó
1 colher (chá) de sal
185 g de manteiga sem sal em temperatura ambiente
200 g de açúcar
3 ovos
120 ml de bourbon ou uísque
15 g de hortelã picadinha

COBERTURA

120 ml de creme de leite fresco
1 colher (sopa) de manteiga sem sal
240 g de chocolate branco
2 colheres (sopa) de licor de menta
corante comestível verde (opcional)

PARA DECORAR

ramos de hortelã
açúcar verde (opcional)
canudinhos verdes

1. Preaqueça o forno a 180°C.
2. Misture a farinha, o fermento e o sal. Reserve.
3. Bata a manteiga e o açúcar até ficarem leves e fofos. Adicione um ovo por vez, batendo bem após cada adição. Alternadamente, junte a farinha e o bourbon. Por último, junte a hortelã.
4. Distribua a massa nas forminhas, preenchendo-as até ⅔. Asse por 20-25 minutos ou até que, ao espetar um palito, este saia limpo. Retire do forno e deixe esfriar.
5. Para a cobertura, aqueça o creme de leite e a manteiga em fogo médio, mexendo até a manteiga derreter. Retire do fogo, junte o chocolate branco e mexa até derreter. Adicione o licor de menta e o corante, se usar. Transfira para uma tigela e deixe esfriar, mexendo de vez em quando, até ganhar consistência para espalhar. Leva, em geral, 2 horas. Acelere o processo mergulhando a tigela em água fria.
6. Cubra os cupcakes já frios e decore-os com ramos de hortelã. Você também pode mergulhar os bolinhos na cobertura quando esta já tiver esfriado um pouco. Decore na hora com açúcar verde, antes que a cobertura endureça. Finalize espetando canudinhos.

CUPCAKES MEZZO-MEZZO

Chocolate e café formam uma dupla irresistível. Estes cupcakes cremosos e azedinhos finalizam em grande estilo uma refeição gourmet.

16 UNIDADES PADRÃO,
8 GRANDES OU
40 MINICUPCAKES

200 g de farinha de trigo
2 colheres (chá) de fermento em pó
1 colher (chá) de bicarbonato
1 colher (chá) de sal
75 g de cacau em pó
200 g de açúcar mascavo
3 colheres (sopa) de cappuccino em pó (ou expresso ou pó de café descafeinado)
125 g de manteiga sem sal derretida e já fria
2 ovos levemente batidos
240 ml de creme de leite fresco com algumas gotas de limão

COBERTURA

240 ml de creme de leite gelado
3 colheres (sopa) de açúcar
1 colher (sopa) de cacau em pó, mais um pouco para polvilhar
1 colher (sopa) de cappuccino instantâneo em pó
confeitos de chocolate com café para decorar

1. Preaqueça o forno a 180°C.
2. Numa tigela grande, misture todos os ingredientes secos e reserve.
3. Em outra tigela, misture a manteiga, os ovos e o creme de leite com limão. Despeje sobre os ingredientes secos, mexendo rapidamente com uma colher de pau até a massa ficar homogênea.
4. Distribua a massa nas forminhas de cupcake, preenchendo-as até ⅔. Cozinhe por 15-20 minutos ou até que, ao espetar um palito no centro, ele saia limpo. Retire do forno e deixe esfriar.
5. Para a cobertura, coloque o creme de leite, o açúcar, o cacau e o cappuccino em pó numa tigela grande. Mexa, cubra e leve à geladeira por 1 hora, até o cacau e o cappuccino se dissolverem. Retire e bata com a batedeira até ficar firme.
6. Cubra os cupcakes já frios na hora de servir. Polvilhe o cacau em pó e decore com confeitos de chocolate com café.

DICA

Sirva com uma xícara de café bem forte.

CUPCAKES MARGARITA

Para esta versão em cupcake do drinque Margarita, você pode usar açúcar cristal para substituir o sal. Mas, para ousar mesmo, coloque alguns grãos de flor de sal por cima. O contraste da calda doce de limão com o sal com certeza transportará você à origem desta receita.

18 UNIDADES

150 g de farinha de trigo
1 colher (chá) de fermento em pó
½ colher (chá) de sal, mais uma pitada para as claras
125 g de manteiga sem sal em temperatura ambiente
150 g de açúcar
3 ovos, claras e gemas separadas
1 colher (sopa) de raspas de limão
2 colheres (sopa) de tequila

COBERTURA

2 colheres (sopa) de suco de limão
150 g de açúcar de confeiteiro
1 colher (sopa) de tequila
corante comestível verde (opcional)
açúcar cristal (ou flor de sal, veja passo 6)
fatias de limão para decorar

1. Preaqueça o forno a 180°C.
2. Misture a farinha, o fermento e o sal. Reserve.
3. Bata a manteiga e o açúcar até obter um creme fofo. Adicione uma gema por vez, batendo bem após cada adição. Acrescente as raspas e a tequila. Aos poucos, misture os ingredientes secos até a farinha ser absorvida e a massa ficar homogênea.
4. Bata as claras em neve com uma pitada de sal até ficarem firmes, mas não secas. Incorpore-as de leve à massa.
5. Distribua a massa nas forminhas de papel até um pouco mais da metade. Asse por 20-25 minutos ou até que, ao espetar um palito, ele saia limpo. Retire do forno e deixe esfriar.
6. Para a cobertura, misture numa tigela média o limão, o açúcar e a tequila, batendo até ficar homogêneo. Adicione o corante verde, se for usar. Pincele os cupcakes já frios e salpique o açúcar cristal (ou alguns grãos de flor de sal). Decore com fatias de limão.

CUPCAKES DA MEIA-NOITE

Espere até a meia-noite e surpreenda seus convidados com essa delícia de chocolate.

20 UNIDADES

185 g de farinha de trigo
150 g de açúcar mascavo
35 g de cacau em pó
2 colheres (chá) de fermento em pó
½ colher (chá) de sal
180 ml de água
60 ml de óleo
1 ovo levemente batido
1 colher (chá) de essência de baunilha

RECHEIO

240 g de cream cheese
65 g de açúcar
1 ovo
½ colher (chá) de sal
1 colher (sopa) de rum (opcional)
120 g de gotas de chocolate

COBERTURA

375 g de açúcar
2 claras
uma pitada de sal ou cremor de tártaro
corante comestível preto

PARA DECORAR

açúcar de confeiteiro
bolinhas prateadas e docinhos de banana

1. Preaqueça o forno a 180°C.

2. Para o recheio, bata o cream cheese, o açúcar, o ovo, o sal e o rum até ficar homogêneo. Junte as gotas de chocolate. Reserve.

3. Para a massa, misture a farinha, o açúcar, o cacau, o fermento e o sal numa tigela grande. Acrescente a água, o óleo, o ovo e a baunilha e bata com uma colher de pau até ficar homogêneo.

4. Distribua a massa nas forminhas de papel até a metade. Coloque 1 colher (sopa) cheia de cream cheese sobre cada uma. Asse por 15-25 minutos ou até ficar firme ao toque. O cream cheese vai amolecer um pouco. Retire e deixe esfriar.

5. Para a cobertura, bata com a batedeira o açúcar e as claras, com o sal ou o cremor de tártaro. Aumente a velocidade e bata por mais 5 minutos. Adicione corante comestível preto. Cubra os cupcakes já frios. Leve à geladeira. Na hora de servir, polvilhe o açúcar, as bolinhas prateadas e os docinhos de banana em formato de meia-lua.

DICA

Você pode substituir a cobertura por glacê preto comprado pronto.

CUPCAKES PIÑA COLADA

Os principais ingredientes do coquetel piña colada são os mesmos deste cupcake: abacaxi, coco e rum. Delicie-se sonhando com as palmeiras balançando com a brisa do mar.

16-18 UNIDADES

300 g de farinha de trigo
2 colheres (chá) de fermento em pó
1 colher (chá) de sal, mais uma pitada para as claras
125 g de manteiga sem sal em temperatura ambiente
250 g de açúcar
2 ovos, claras e gemas separadas
120 ml de suco de abacaxi
60 ml de rum claro (ou leite de coco, ou mais suco de abacaxi)
75 g de coco ralado

COBERTURA

2 claras
uma pitada de sal
300 g de açúcar de confeiteiro
75 g de coco ralado

PARA DECORAR

coco ralado torrado
abacaxi seco ou cristalizado

1. Preaqueça o forno a 180°C.
2. Misture a farinha, o fermento e o sal numa tigela. Reserve.
3. Bata a manteiga e o açúcar até obter um creme fofo. Adicione uma gema por vez, batendo bem após cada adição. Alternadamente, acrescente a farinha e os líquidos e bata até ficar homogêneo. Junte o coco. Bata as claras em neve com uma pitada de sal até ficarem firmes, mas não secas, e incorpore aos poucos à massa.
4. Distribua a massa nas forminhas de papel, preenchendo-as até ⅔. Alise com as costas de uma colher. Asse por 20-25 minutos ou até que, ao espetar um palito no centro, ele saia limpo. Retire do forno e deixe esfriar.
5. Para a cobertura, bata as claras com um pouco de sal até ficarem firmes, mas não secas. Acrescente o açúcar, uma colher por vez, batendo sem parar. Junte o coco e mais açúcar de confeiteiro, se preciso, para que a cobertura ganhe consistência. Cubra os cupcakes, salpique coco ralado torrado e decore com um pedaço de abacaxi cristalizado ou seco.

CUPCAKES PASTIS

"Pastis" é um licor de anis diluído em água, muito popular no sul da França como aperitivo. O resultado deste cupcake é extraordinário – uma massa levemente aromatizada com anis, coberta com glacê sabor anis também.

18 UNIDADES

200 g de farinha de trigo
2 colheres (chá) de fermento em pó
1 colher (chá) de sal
180 g de manteiga sem sal em temperatura ambiente
150 g de açúcar
3 ovos
60 ml de licor de anis

COBERTURA

240 g de manteiga sem sal, em temperatura ambiente, cortada em pedaços
250 de açúcar de confeiteiro
uma pitada de sal
2 colheres (sopa) de licor de anis (ou essência de anis)
doces e glacê preto para decorar

1. Preaqueça o forno a 180°C.
2. Misture a farinha, o fermento e o sal. Reserve.
3. Bata a manteiga e o açúcar até obter um creme fofo. Adicione um ovo por vez, batendo bem após cada adição. Alternadamente, acrescente a mistura de farinha e o licor de anis.
4. Distribua a massa nas forminhas de papel, preenchendo-as até ⅔. Asse por 25 minutos ou até que, ao espetar um palito no centro, ele saia limpo. Retire do forno e deixe esfriar.
5. Para a cobertura, use a batedeira para bater a manteiga, o açúcar e o sal, até obter um creme fofo. Adicione o licor e continue batendo até ganhar uma boa consistência para espalhar. Cubra os cupcakes e decore com docinhos (como balas de anis) ou glacê preto.

DICA
Se preferir, use xarope de anis para uma versão não alcoólica.

CUPCAKES AFTER EIGHT

Eles encantam os olhos e o paladar. São crocantes por fora e cremosos por dentro – chocolate e menta formam um par maravilhoso, sem dúvida.

12 UNIDADES

200 g de farinha de trigo
50 g de cacau em pó
2 colheres (chá) de fermento em pó
1 colher (chá) de sal
90 g de manteiga sem sal em temperatura ambiente
100 g de açúcar
2 ovos
160 g de creme de leite
algumas gotas de essência de menta
60 g de gotas de chocolate com menta

COBERTURA

185 g de manteiga sem sal, em temperatura ambiente, cortada em pedaços
300 g de açúcar de confeiteiro
2 colheres (sopa) de leite
algumas gotas de essência de menta
corante comestível (opcional)

GANACHE DE CHOCOLATE

150 g de chocolate amargo picado
150 ml de creme de leite
12 chocolatinhos com menta para decorar (opcional)

1. Preaqueça o forno a 180°C.
2. Misture a farinha, o cacau, o fermento e o sal. Reserve.
3. Bata a manteiga e o açúcar até obter um creme fofo. Adicione um ovo por vez, mexendo bem após cada adição. Alternadamente, bata junto a mistura de farinha e o creme de leite. Acrescente algumas gotas de essência de menta e mexa de novo.
4. Distribua a massa em 12 forminhas de papel. Salpique as gotas de chocolate por cima e asse por 20-25 minutos ou até que, ao espetar um palito, ele saia limpo. Retire do forno e deixe esfriar.
5. Para a cobertura, bata a manteiga e o açúcar até obter um creme fofo. Adicione o leite e a essência e bata de novo. Você pode acrescentar mais ou menos leite. Coloque o corante, se for usá-lo. Espalhe sobre os cupcakes já frios e deixe em local fresco até a cobertura endurecer.
6. Para a ganache, leve ao fogo médio o chocolate e o creme de leite numa tigela refratária, em banho-maria. Aqueça até ficar morno ao toque e o chocolate começar a derreter. Retire e mexa até o chocolate derreter por completo e ficar homogêneo. Lembre-se de que não se deve cozinhar o chocolate, apenas derretê-lo. E você pode voltar ao banho-maria, se preciso. Deixe esfriar um pouco e mergulhe os cupcakes na ganache, deixando um pouco do glacê aparecendo ao redor. Decore com chocolatinhos com menta, se quiser.

CUPCAKES GOURMET

CUPCAKES TARTE TATIN

"Tarte Tatin" é um bolo francês de maçã, e certamente uma das sobremesas mais simples e gostosas da França. É uma delícia, sobretudo no outono, quando as maçãs são mais saborosas. Esta é a versão em cupcake.

16 UNIDADES

250 g de farinha de trigo
2 colheres (chá) de fermento em pó
1 colher (chá) de sal
100 g de açúcar mascavo
125 g de manteiga sem sal em temperatura ambiente
2 ovos levemente batidos
120 ml de leite
1 colher (chá) de essência de baunilha

RECHEIO

65 g de manteiga sem sal
4 maçãs sem casca cortadas em 16 fatias cada
4 colheres (sopa) de açúcar

CALDA

65 g de manteiga
50 g de açúcar mascavo
225 g de açúcar de confeiteiro
1 colher (chá) de essência de baunilha
1 colher (sopa) de leite

1. Preaqueça o forno a 180°C.
2. Numa tigela grande, misture a farinha, o fermento, o sal e o açúcar. Adicione o restante dos ingredientes e bata com uma colher de pau ou com a batedeira por 3 minutos.
3. Distribua a massa nas forminhas de papel, preenchendo-as até ⅔. Asse por cerca de 20 minutos ou até que, ao inserir um palito no centro, ele saia limpo. Retire do forno e deixe esfriar.
4. Para caramelizar as maçãs, derreta a manteiga numa panela grande e cozinhe as fatias de maçã, virando-as dos dois lados. Cozinhe as maçãs em duas rodadas, se quiser. Quando estiverem douradas, polvilhe açúcar sobre elas e retire do fogo. Disponha-as no topo das forminhas (quatro fatias em cada).
5. Para fazer a calda: derreta a manteiga numa panela pesada sobre fogo baixo. Acrescente o açúcar mascavo e mexa por cerca de 3 minutos ou até dissolver. Retire do fogo. Adicione o açúcar de confeiteiro, a baunilha e o leite e misture com um batedor. Regue cada cupcake com 1 colher (sopa) da calda.

CUPCAKES BOURDALOUE

Qualquer receita que tenha "bourdaloue" no nome é preparada com uma combinação de peras e amêndoas. Um cupcake "a la bourdaloue" não é exceção à regra. Feitos em fôrmas grandes, estes cupcakes não são apenas gostosos, mas também bonitos.

6-8 UNIDADES GRANDES

185 g de manteiga em temperatura ambiente
100 g de açúcar
3 ovos
2 colheres (chá) de essência de baunilha
185 g de amêndoas moídas
35 g de farinha de trigo
1 colher (chá) de sal
6-8 peras cortadas em quatro (frescas ou em calda)

AMÊNDOAS CARAMELIZADAS

100 g de amêndoas em lâminas
50 g de açúcar

1. Preaqueça o forno a 180°C.

2. Bata a manteiga e o açúcar até obter um creme fofo. Adicione um ovo por vez, mexendo após cada adição. Coloque a baunilha. Junte as amêndoas moídas, a farinha e o sal e misture até a massa ficar homogênea.

3. Distribua-a em 6-8 forminhas grandes. Coloque os quartos de pera no centro, pressionando um pouco. Leve ao forno por 30 minutos ou até dourarem bem e ficarem fofos ao toque. Retire e deixe esfriar antes de desenformar.

4. Misture as amêndoas e o açúcar numa panela antiaderente. Aumente o fogo e continue mexendo. Quando as amêndoas começarem a escurecer (após alguns minutos), transfira-as na hora para uma travessa ou assadeira. Quando estiverem frias, quebre-as com um garfo ou com os dedos. Salpique sobre os cupcakes antes de servir.

DICA

Asse os cupcakes em forminhas de silicone e sirva com creme inglês (p. 164).

CUPCAKES CEVENENSES COM MARROM-GLACÊ

As montanhas Cevènnes, no sul da França, são conhecidas por sua paisagem rústica, por suas castanheiras e pelos deliciosos derivados da castanha, como o marrom-glacê. O escritor Robert Louis Stevenson imortalizou as Cevènnes em livro que escreveu sobre sua viagem pela região no lombo de um burro.

16 UNIDADES

- 100 g de farinha de trigo
- 2 colheres (chá) de fermento em pó
- 1 colher (chá) de sal
- 80 g de manteiga sem sal
- 400 g de marrom-glacê em pasta (vendido em empórios gourmet)
- 100 g de açúcar
- 2 ovos
- 2 colheres (sopa) de rum
- 8 castanhas portuguesas glaçadas (vendidas em empórios gourmet) para decorar

1. Preaqueça o forno a 180°C.
2. Misture a farinha, o fermento e o sal. Reserve.
3. Na tigela grande da batedeira, bata a manteiga e 200 g do marrom-glacê em pasta até ficar cremoso e homogêneo. Acrescente o açúcar, os ovos e o rum e bata até misturar bem. Junte os ingredientes secos.
4. Distribua a massa nas forminhas de papel, preenchendo-as até ⅔. Asse por cerca de 25 minutos ou até que, ao espetar um palito no centro, ele saia limpo. Retire do forno e deixe esfriar.
5. Cubra os cupcakes já frios com o restante do marrom-glacê em pasta e decore com as castanhas glaçadas.

CUPCAKES CREPE SUZETTE

Esta famosa sobremesa francesa consiste num crepe, ou panqueca, recheado com creme à base de licor de laranja e flambado logo antes de servir. Na versão cupcake, é usado o mesmo creme.

12 UNIDADES

300 g de farinha de trigo
2 colheres (chá) de fermento em pó
1 colher (chá) de sal
125 g de manteiga sem sal em temperatura ambiente
150 g de açúcar
2 ovos
suco e raspas finas de uma laranja média
2 colheres (sopa) de licor de laranja
água, se preciso

COBERTURA

160 g de manteiga sem sal em temperatura ambiente
150 g de açúcar
suco e raspas finas de 1 laranja média
60 ml de licor de laranja
laranja cristalizada para decorar

1. Preaqueça o forno a 180°C.
2. Misture a farinha, o fermento e o sal. Reserve.
3. Bata a manteiga e o açúcar até obter um creme fofo. Adicione um ovo por vez, mexendo bem após cada adição. Acrescente as raspas de laranja. Misture o suco e o licor com água, se preciso, para obter 120 ml. Alternadamente, adicione os ingredientes secos e os líquidos à massa, batendo até ficar homogêneo.
4. Distribua a massa nas forminhas de papel, preenchendo-as até ⅔ e asse por 20-25 minutos ou até que, ao espetar um palito no centro, ele saia limpo. Retire do forno e deixe esfriar.
5. Para a cobertura, bata a manteiga e o açúcar até obter um creme fofo. Vá adicionando o suco e as raspas de laranja, batendo sempre. Acrescente o licor, pouco a pouco, sem deixar o creme talhar. Continue batendo até ganhar consistência para espalhar. Cubra os cupcakes já frios e decore com pedaços de laranja cristalizada. A cobertura endurece com o tempo, então é melhor cobrir os bolinhos enquanto ainda estiver bem cremosa.

DICA

A cobertura do crepe Suzette é um desafio. Substitua pela cobertura de laranja (p. 137), se quiser.

CUPCAKES DE MUSSE DE CHOCOLATE

Este cupcake foi inspirado em um bolo de chocolate que faz muito sucesso em festas de aniversário. A cobertura também é usada na massa. Chocólatras vão adorar!

12 UNIDADES

4 colheres (sopa) cheias de farinha de trigo
2½ colheres (chá) de fermento
½ colher (chá) de sal, mais uma pitada para as claras em neve
300 g de chocolate amargo
250 g de manteiga sem sal em temperatura ambiente
6 ovos, claras e gemas separadas
200 g de açúcar
raspas de chocolate para decorar

DICA
Você pode dobrar a receita se quiser – afinal, cupcakes de chocolate nunca são demais.

1. Preaqueça o forno a 180°C.
2. Misture a farinha, o fermento e o sal. Reserve.
3. Derreta o chocolate e a manteiga numa tigela refratária, em banho-maria ou no micro-ondas. Não deixe cozinhar – o chocolate e a manteiga devem apenas derreter. Misture e reserve.
4. Bata bem as gemas e o açúcar até obter um creme leve e espumoso. Junte o chocolate derretido e bata até ficar homogêneo.
5. Bata as claras com uma pitada de sal até ficarem firmes, mas não secas. Incorpore aos poucos o chocolate. Divida o creme em duas partes e leve uma à geladeira, para ser usada na cobertura. Misture aos poucos a farinha à outra parte, até que seja completamente incorporada.
6. Distribua a massa nas forminhas de cupcake, preenchendo-as até ⅔, e asse por 15-20 minutos. Não deixe no forno por muito tempo, pois os cupcakes devem ficar úmidos por dentro. Retire e deixe esfriar.
7. Quando os cupcakes estiverem frios, cubra com o restante da musse de chocolate e decore com raspas de chocolate.

CUPCAKES EARL GREY

A mexerica, fruta da família da laranja, define o sabor forte do chá Earl Grey. As raspas da casca liberam um óleo aromático que também é usado na indústria de perfumes.

12 UNIDADES

- 160 ml de leite integral
- 2 colheres (chá) ou 2 saquinhos de chá Earl Grey
- 250 g de farinha de trigo
- 2 colheres (chá) de fermento
- 1 colher (chá) de sal
- 125 g de manteiga sem sal em temperatura ambiente
- 200 g de açúcar
- 2 ovos
- 3 colheres (sopa) de laranja cristalizada em pedacinhos (opcional)

GANACHE

- 180 g de chocolate amargo de boa qualidade em pedaços
- 20 g de manteiga sem sal em temperatura ambiente
- 120 g de creme de leite
- 2 colheres (chá) ou 2 saquinhos de chá Earl Grey

1. Numa panela pequena, aqueça o leite e o chá até ferver. Retire do fogo e deixe em infusão por cerca de 30 minutos ou até o leite esfriar. Coe, ou retire os saquinhos de chá, e reserve o líquido.
2. Preaqueça o forno a 180°C.
3. Misture a farinha, o fermento e o sal. Reserve.
4. Bata a manteiga e o açúcar até obter um creme fofo. Adicione um ovo por vez, misturando bem após cada adição. Alternadamente, misture os ingredientes secos e os líquidos. Junte a laranja cristalizada, se for usar.
5. Distribua a massa em forminhas de papel, preenchendo-as até ⅔. Asse por 25 minutos ou até que, ao espetar um palito no centro, ele saia limpo. Retire do forno e deixe esfriar.
6. Para a ganache, coloque o chocolate e a manteiga numa tigela e reserve. Junte o creme de leite e o chá numa panela pequena, leve ao fogo e deixe ferver. Retire, tampe e deixe em infusão por, pelo menos, 30 minutos.
7. Ferva de novo e coe sobre a tigela com chocolate e manteiga. Deixe descansar por 2 minutos ou até que comecem a derreter, depois bata até ficar homogêneo. Leve a ganache à geladeira até ganhar consistência (mas não demais!) para espalhar sobre os cupcakes. Você também pode esperar esfriar e bater na batedeira por 5-10 minutos para uma cobertura mais leve e cremosa.

CUPCAKES DE CRÈME BRÛLÉE

"Crème brûlée" significa, literalmente, "creme queimado". Trata-se, basicamente, de um creme inglês, ou creme de baunilha gelado, polvilhado com açúcar e, antes de ser servido, aquecido para que o açúcar queime e forme uma crosta. Há muitas variações do tema, sendo o cupcake uma delas.

16 UNIDADES

375 g de farinha de trigo
3 colheres (chá) de fermento
½ colher (chá) de sal, mais uma pitada para as claras
125 g de manteiga sem sal em temperatura ambiente
300 g de açúcar
2 ovos, claras e gemas separadas
240 ml de leite
3 colheres (sopa) de calda de caramelo (aquela para sorvete)
1 colher (chá) de essência de baunilha

CROSTA DE AÇÚCAR

300 g de açúcar mascavo
150 g de açúcar cristal
uma pitada de sal
120 ml de leite
50 g de manteiga sem sal cortada em pedaços
2 colheres (sopa) de glicose de milho
2 colheres (chá) de essência de baunilha
açúcar mascavo para polvilhar

1. Preaqueça o forno a 180°C.
2. Misture a farinha, o fermento e o sal. Reserve.
3. Bata a manteiga e o açúcar até obter um creme fofo. Adicione as gemas, uma por vez, misturando bem após cada adição. Alternadamente, bata junto os ingredientes secos e o leite. Adicione o caramelo e a baunilha. Bata até ficar homogêneo.
4. Bata as claras com uma pitada de sal até ficarem firmes, mas não secas. Incorpore as claras à massa.
5. Distribua a massa em forminhas de papel, preenchendo-as até ⅔. Asse por 20 minutos. Retire do forno e deixe esfriar.
6. Misture todos os ingredientes da cobertura, exceto a baunilha, numa panela em fogo baixo. Leve à fervura, mexendo sempre, até ferver por 1 minuto. Retire do fogo e deixe esfriar até ficar morno ao toque. Adicione a baunilha e bata até ganhar consistência para espalhar. Cubra os cupcakes já frios e salpique açúcar mascavo.

DICA

Substitua a baunilha por essência de lavanda, flor de laranjeira ou por água de rosas. Ou crie sua própria versão.

ARLESIÈNNE

Esta é a versão cupcake de uma sobremesa do sul da França, feita com damascos frescos, amêndoas e geleia de framboesa. É conhecida como "arlesiènne", em referência à cidade de Arles, na Provença, às margens do rio Ródano e no meio da Camargue, onde vivem cavalos selvagens e flamingos. Na Provença, há muitas árvores de damascos, framboesas e amêndoas, cujas lindas flores cor-de-rosa anunciam a chegada da primavera.

12 UNIDADES

250 g de farinha de trigo
2 colheres (chá) de fermento
1 colher (chá) de sal
125 g de manteiga sem sal em temperatura ambiente
100 g de açúcar
2 ovos
5 colheres (sopa) de leite
algumas gotas de essência de amêndoa (opcional)
75 g de damascos secos ou framboesas secas (ou uma mistura dos dois), em cubinhos
50 g de amêndoas moídas
6 damascos secos pequenos cortados ao meio
12 colheres (chá) de geleia de framboesa

1. Preaqueça o forno a 180°C.
2. Misture a farinha, o fermento e o sal. Reserve.
3. Bata a manteiga e o açúcar até obter um creme fofo. Adicione um ovo por vez, misturando bem após cada adição. Alternadamente, acrescente aos poucos a mistura de farinha e o leite, batendo sempre. Adicione essência a gosto. Junte os damascos secos e as amêndoas.
4. Distribua a massa nas forminhas de papel, preenchendo-as até ⅔. Coloque uma metade de damasco sobre cada cupcake, com o lado da polpa para cima, pressionando um pouco. Coloque 1 colher (chá) de geleia de framboesa sobre cada damasco. Asse por 20-25 minutos ou até dourar. Ao espetar um palito no centro, ele deve sair limpo. Retire do forno e deixe esfriar.

A foto ao lado mostra os cupcakes antes de serem assados. Depois, eles ganham uma linda tonalidade dourada.

CUPCAKES DE PÊSSEGO MELBA

Experimente a versão prática desta sobremesa famosa. Se preferir, asse os cupcakes em forminhas de silicone e sirva com cobertura de framboesa ou calda.

16 UNIDADES

3 ovos levemente batidos
300 g de açúcar
120 ml de óleo
300 g de farinha de trigo
2 colheres (chá) de fermento em pó
1 colher (chá) de sal
1 colher (chá) de canela (opcional)
350 g de pêssegos frescos ou em calda picados (mais fatias para decorar)

COBERTURA DE FRAMBOESA

240 ml de creme de leite fresco gelado
3 colheres (sopa) de açúcar
120 g de framboesas batidas com 1 colher (sopa) de açúcar

CALDA DE FRAMBOESA

350 g de framboesas (separe algumas para decorar)
100 g de açúcar
60 ml de água
algumas gotas de limão-siciliano
chantilly para decorar

1. Preaqueça o forno a 180°C.
2. Numa tigela grande, misture bem todos os ingredientes, exceto o pêssego. Acrescente-o delicadamente.
3. Distribua a massa nas forminhas de papel, preenchendo-as até ⅔. Asse por 25 minutos ou até que, ao espetar um palito no centro, ele saia limpo. Retire do forno e deixe esfriar.
4. Faça a cobertura e a calda de framboesa, ou escolha uma das duas. Para a cobertura, bata o creme de leite e o açúcar até formarem picos leves. Adicione aos poucos a framboesa batida com açúcar e continue batendo até formar picos firmes. Adicione mais açúcar, se preciso, e cubra os cupcakes só na hora de servir. Decore com fatias de pêssego.
5. Para a calda, aqueça as framboesas e o açúcar numa panela média com água. Quando começar a ferver, cozinhe por 1 minuto e retire. Bata com o mixer ou no processador com algumas gotas de limão. Espalhe sobre os cupcakes e sirva com chantilly e framboesas.

DICA
A calda de framboesa pode ficar na geladeira até o momento de usar.

LANGUEDOCIÈNNES

Languedoc é uma região no sul da França conhecida por seu clima ensolarado, seus campos de lavanda, figos, queijo de cabra, mel e ótimos vinhos. Estes cupcakes encarnam esse espírito. Sirva como sobremesa com um copo de vinho muscat.

16 UNIDADES

150 g de mel
100 g de açúcar mascavo
65 g de manteiga sem sal cortada em pedaços
3 colheres (sopa) de leite
250 g de farinha de trigo
2 colheres (chá) de fermento em pó
1 colher (chá) de sal
1 colher (sopa) de lavanda seca (opcional)
2 ovos
150 g de figos secos picados (separe alguns para decorar)

COBERTURA

180 g de queijo de cabra
30 g de manteiga sem sal em temperatura ambiente
225 g de açúcar de confeiteiro

1. Numa panela média, aqueça o mel, o açúcar, a manteiga e o leite em fogo baixo. Mexa até o açúcar dissolver e apague o fogo. Deixe esfriar.
2. Preaqueça o forno a 180°C.
3. Misture a farinha, o fermento, o sal e a lavanda. Adicione o creme de mel e bata bem com uma colher de pau. Junte um ovo por vez, batendo bem após cada adição. Incorpore os figos à massa.
4. Distribua a massa nas forminhas de papel, preenchendo-as até ⅔. Asse por 25 minutos ou até que, ao espetar um palito, ele saia limpo.
5. Para a cobertura, bata o queijo de cabra, a manteiga e o açúcar até ficar homogêneo. Se a cobertura ficar muito mole ou líquida, leve à geladeira até ganhar consistência para espalhar.

Coloque 1 colher (sopa) de cobertura sobre cada cupcake e decore com os figos.

DICA
Use cream cheese se não conseguir encontrar queijo de cabra.

CUPCAKES DE RICOTA COM LIMÃO

Estes cupcakes leves e aerados serão tão bem-vindos como uma limonada em dias quentes de verão. É possível polvilhá-los com açúcar de confeiteiro ou usar a cobertura. Ele também fica lindo coberto por uma porção de chantilly e salpicado com açúcar verde. Finalize com limão cristalizado.

16 UNIDADES

185 g de farinha de trigo
1½ colher (chá) de fermento
1 colher (chá) de sal, mais uma pitada para as claras
suco (cerca de 3 colheres de sopa) e raspas de 1 limão
80 g de manteiga sem sal em temperatura ambiente
175 g de açúcar
80 g de ricota
3 ovos, claras e gemas separadas

COBERTURA

2 colheres (sopa) de suco de limão
75 g de açúcar de confeiteiro

PARA DECORAR

chantilly (opcional)
açúcar verde
limão cristalizado

1. Preaqueça o forno a 180°C.
2. Misture a farinha, o fermento, o sal e as raspas de limão. Reserve.
3. Bata a manteiga e o açúcar até obter um creme fofo. Acrescente a ricota e bata bem até ficar homogêneo. Adicione uma gema por vez, batendo bem após cada adição. Coloque a mistura de farinha e o suco de limão e misture bem.
4. Bata as claras em neve com uma pitada de sal até ficarem firmes, mas não secas. Incorpore-as à massa.
5. Distribua a massa nas forminhas de papel, preenchendo-as até ⅔. Asse por 20-25 minutos ou até que, ao espetar um palito, este saia limpo. Retire do forno e deixe esfriar.
6. Para a cobertura, misture numa tigela pequena o limão e o açúcar e bata até ficar homogêneo. Espalhe com um pincel sobre os cupcakes frios. Decore com chantilly e açúcar verde e finalize com uma fatia de limão cristalizado.

CUPCAKES TIRAMISÙ

O tiramisù é uma sobremesa italiana feita com pão de ló e biscoitos mergulhados numa mistura de café e vinho marsala, recheada com creme de mascarpone e coberta com chocolate ralado. Esta é sua versão em cupcake.

12 UNIDADES

150 g de farinha de trigo
1 colher (chá) de fermento em pó
½ colher (chá) de sal
2 ovos, claras e gemas separadas
60 ml de café bem forte
1 colher (sopa) de vinho marsala ou de licor kahlua, ou 1 colher (chá) de essência de baunilha
150 g de açúcar
1 pitada de sal
mais marsala para regar (opcional)

CREME DE MASCARPONE

2 gemas
3 colheres (chá) de açúcar
1 colher (sopa) de licor kahlua (opcional)
240 g de mascarpone
mais licor para regar (opcional)
chocolate ralado para decorar

1. Preaqueça o forno a 180°C.
2. Misture a farinha, o fermento e o sal. Reserve.
3. Bata as gemas com o café e o marsala até obter um creme espesso. Aos poucos, adicione 110 g do açúcar, batendo sem parar. Reserve.
4. Bata as claras em neve com o sal até começar a formar picos. Junte, aos poucos, os outros 40 g de açúcar. Continue batendo até as claras ficarem firmes, mas não secas. Misture 3 colheres (sopa) das claras ao creme de gemas. Aos poucos, incorpore os ingredientes secos, usando um batedor. Quando tiverem sido absorvidos, junte também o restante das claras.
5. Distribua a massa em 12 forminhas de cupcakes, preenchendo-as até ⅔. Asse por 20 minutos ou até que, ao espetar um palito, ele saia limpo. Retire do forno e deixe esfriar.
6. Quando os cupcakes estiverem frios, fure-os algumas vezes com o garfo e regue com o vinho marsala, se quiser.
7. Para o creme de mascarpone, bata as gemas com o açúcar até ter um creme leve e fofo. Junte o licor, se quiser. Aos poucos, vá acrescentando o mascarpone, sem parar de bater. Cubra os cupcakes com bastante creme, regue com o marsala, se quiser, e salpique o chocolate.

CUPCAKES LINZERTORTE

Esta é uma adaptação da Linzertorte – receita típica austríaca, que se distingue por ter recheio de geleia de frutas e cobertura feita com tiras de massa, criando um padrão quadriculado.

12 UNIDADES

185 g de manteiga sem sal em temperatura ambiente
150 g de farinha de trigo
½ colher (chá) de sal, mais uma pitada para as claras em neve
30 g de cacau em pó
225 g de açúcar de confeiteiro
100 g de amêndoas moídas (ou castanhas)
100 g de avelãs moídas (ou castanhas)
6 claras
uma boa pitada de sal

COBERTURA

geleia de framboesa
chantilly ou outra cobertura
avelãs, amêndoas ou castanhas cortadas ao meio para decorar
açúcar de confeiteiro para polvilhar

1. Preaqueça o forno a 180°C.
2. Numa panela pequena, derreta a manteiga até começar a escurecer um pouco. Apague o fogo e deixe esfriar.
3. Numa tigela grande, misture a farinha, o sal, o cacau em pó, o açúcar de confeiteiro, as amêndoas e avelãs ou castanhas. Reserve.
4. Bata as claras em neve com a pitada de sal até ficarem espumosas, mas não firmes.
5. Faça um buraco no meio dos ingredientes secos e coloque aí as claras em neve e a manteiga gelada. Misture bem.
6. Distribua a massa nas forminhas de cupcake, preenchendo-as até ⅔. Asse por 20-25 minutos ou até que, ao espetar um palito no centro, ele saia limpo. Retire do forno e deixe esfriar.
7. Quando os cupcakes estiverem frios, use um boleador para abrir tampas no centro deles e rechear com a geleia. Tampe novamente.
8. Para a calda, aqueça 115 g de geleia de framboesa numa panela em fogo baixo. Pincele os cupcakes já frios e recheados. Crie um padrão de treliça sobre os cupcakes com chantilly. Coloque as metades de castanhas nos quadradinhos e polvilhe com açúcar de confeiteiro.

CUPCAKES MENDIANT COM COBERTURA DE FIGO

"Mendiant" quer dizer mendigo em francês, mas, na cozinha, ganha outro sentido: combinações de castanhas e frutas secas. Use as suas favoritas.

16 UNIDADES PADRÃO OU 8 GRANDES

75 g de avelãs ou castanhas de caju
75 g de amêndoas ou castanhas-do--pará
300 g de farinha de trigo
2 colheres (chá) de fermento em pó
1 colher (chá) de bicarbonato
1 colher (chá) de sal
1 colher (chá) de canela
½ colher (chá) de pimenta-da--jamaica
125 g de manteiga sem sal
200 g de açúcar mascavo
2 ovos
4 colheres (chá) de vinagre branco
160 ml de leite
75 g de uvas-passas

COBERTURA

400 g de figos secos
375 ml de água
1 pau de canela
150 g de açúcar

1. Coloque os ingredientes da cobertura numa panela, leve ao fogo e deixe ferver. Abaixe o fogo e mantenha em fervura leve por 20 minutos ou até que os figos fiquem macios e metade da água tenha evaporado. Retire a canela e descarte. Bata o figo no processador e reserve.
2. Preaqueça o forno a 180°C. Coloque as avelãs e amêndoas ou castanhas numa assadeira e leve ao forno por 10 minutos, para torrá-las até escurecerem, mexendo de vez em quando. Tenha cuidado para não deixar queimar. Bata-as no processador para moer.
3. Misture a farinha, o fermento, o bicarbonato, o sal e as especiarias.
4. Bata a manteiga e o açúcar até obter um creme fofo. Adicione um ovo por vez, mexendo bem após cada adição. Misture o leite com o vinagre. Acrescente, alternadamente, os ingredientes secos e líquidos, batendo após cada adição até ficar homogêneo. Junte as uvas-passas e as avelãs, amêndoas ou castanhas moídas.
5. Distribua a massa em forminhas de tamanho padrão ou maiores, preenchendo-as até a metade. Leve ao forno por cerca de 20 minutos ou até assarem, mas sem passar disso. Retire e espalhe por cima o purê de figos. Volte ao forno e asse por mais 10 minutos ou até assar bem. Retire e deixe esfriar completamente antes de desenformar.

CUPCAKES À MARRAKECH

Quem viaja a Marrakech no Natal, vê as laranjeiras carregadas e sente o aroma das flores no ar. Essa é a inspiração para este cupcake.

12 UNIDADES

180 g de cream cheese em temperatura ambiente
50 g de açúcar
2 colheres (sopa) de raspas de laranja
1 colher (chá) de suco de laranja

MASSA DE CHOCOLATE

225 g de farinha de trigo
2 colheres (chá) de fermento em pó
1 colher (chá) de sal
200 g de açúcar
50 g de cacau em pó
120 ml de leite
80 ml de óleo
1 ovo
1 colher (chá) de essência de baunilha

GANACHE DE CHOCOLATE E LARANJA

180 g de chocolate amargo picado
180 g de creme de leite
3 colheres (sopa) de licor de laranja (Cointreau, Grand Marnier etc.)

PARA DECORAR

raspas de laranja
laranja cristalizada

1. Preaqueça o forno a 180°C. Misture o cream cheese, o açúcar, as raspas e o suco de laranja numa tigela. Reserve.
2. Numa tigela grande, misture a farinha, o fermento, o sal, o açúcar e o cacau.
3. Numa tigela pequena, misture o leite, o óleo, o ovo e a baunilha. Despeje sobre a farinha e bata bem com uma colher de pau.
4. Coloque 1 colher (sopa) cheia de massa de chocolate no fundo de 12 forminhas. Distribua depois a massa de laranja por cima (outra colher cheia em cada cupcake).
5. Coloque o restante da massa de chocolate por cima. Gire a faca por cima para criar um efeito, mas não exagere. Asse por 25-30 minutos ou até que, ao espetar um palito, ele saia limpo. Retire do forno e deixe esfriar.
6. Para a ganache, coloque o chocolate e o creme de leite numa tigela refratária. Leve ao fogo em banho-maria ou ao micro-ondas e aqueça até ficar quente ao toque e o chocolate começar a derreter. Retire e mexa até o chocolate derreter por completo e o creme ficar homogêneo. Lembre-se de que o chocolate não deve ser cozido, apenas derretido. Junte o licor, deixe esfriar um pouco e mergulhe os cupcakes nesse creme. A ganache deve ficar lisa e brilhante. Decore com laranja cristalizada.

SURPRESAS DE ABACAXI

Este é um cupcake de tamanho padrão coberto com um minicupcake recheado com uma cereja; os dois são decorados para parecer um abacaxi.

12 UNIDADES

225 g de farinha de trigo
2 colheres (chá) de fermento em pó
1 colher (chá) de sal
186 g de manteiga sem sal
300 g de açúcar
3 ovos
120 ml de suco de abacaxi
75 g de abacaxi amassado
75 g de coco ralado
12 cerejas ao licor sem caroço

FONDANT DE ABACAXI

225 g de açúcar de confeiteiro
2 colheres (sopa) de suco de abacaxi
corante comestível amarelo
cobertura marrom ou caramelo para decorar
abacaxi cristalizado para decorar

1. Preaqueça o forno a 180°C.
2. Misture a farinha, o fermento e o sal. Reserve.
3. Bata a manteiga e o açúcar até obter um creme fofo. Adicione um ovo por vez, batendo bem após cada adição. Junte, alternadamente, os ingredientes secos e o suco de abacaxi. Quando a massa estiver homogênea, adicione o abacaxi amassado e o coco.
4. Distribua a massa em 12 forminhas de papel de tamanho padrão e também em 12 forminhas de silicone de minicupcakes, preenchendo-as até a metade. Asse os de tamanho padrão por 20-25 minutos e os minicupcakes por menos tempo, até que, ao espetar na massa um palito, ele saia limpo. Retire do forno e deixe esfriar.
5. Vire os minicupcakes já frios e retire um pouco de massa do centro. Coloque as cerejas dentro deles .
6. Para o fondant, misture o açúcar e o suco de abacaxi até obter uma pasta homogênea. Adicione o corante comestível amarelo. Cubra os cupcakes. Coloque os minicupcakes sobre os maiores enquanto a cobertura ainda estiver mole. Cubra-os também. Decore com a cobertura marrom ou caramelo. Finalize com um pedaço de abacaxi cristalizado.

CUPCAKES DE MACADÂMIA E CHOCOLATE BRANCO

Esta receita une dois ingredientes únicos em sabor e textura: macadâmia e chocolate branco.

12-14 UNIDADES

225 g de farinha de trigo
2 colheres (chá) de fermento em pó
1 colher (chá) de bicarbonato
1 colher (chá) de sal
125 g de manteiga sem sal
175 g de açúcar
2 ovos
120 ml de creme de leite fresco
60 g de gotas de chocolate branco
60 g de macadâmias (ou castanhas-do-pará) picadas

COBERTURA

120 g de chocolate branco
60 g de creme de leite
180 g de cream cheese em temperatura ambiente
50 g de açúcar de confeiteiro

PARA DECORAR

macadâmias
chocolate branco ralado

1. Preaqueça o forno a 180°C.
2. Misture a farinha, o fermento, o bicarbonato de sódio e o sal. Reserve.
3. Bata a manteiga e o açúcar até obter um creme fofo. Adicione um ovo por vez, batendo bem após cada adição. Alternadamente, junte os ingredientes secos e o creme de leite aos poucos, mexendo até ficar homogêneo após cada adição. Junte as gotas de chocolate e as macadâmias.
4. Distribua a massa nas forminhas de papel, preenchendo-as até ⅔. Asse por 20-25 minutos ou até que, ao inserir um palito no centro, ele saia limpo. Retire do forno e deixe esfriar.
5. Para fazer a cobertura, derreta o chocolate e o creme de leite numa tigela refratária, em banho-maria ou no micro-ondas. Retire quando o chocolate derreter, mexa e deixe esfriar. Quando estiver frio ao toque, acrescente o cream cheese e o açúcar de confeiteiro. Bata até a mistura ficar espessa e cremosa. Cubra os cupcakes já frios e decore com macadâmias e chocolate branco ralado.

CUPCAKES YIN-YANG

O Ocidente encontra o Oriente nestes deliciosos cupcakes. Sirva-os com chá-verde no lanche ou como sobremesa.

12 UNIDADES

150 g de farinha de trigo
1 colher (chá) de fermento em pó
½ colher (chá) de sal, mais uma pitada para as claras em neve
2 colheres (chá) de chá-verde japonês
2 ovos, claras e gemas separadas
100 g de açúcar de confeiteiro
50 g de amêndoas ou castanhas moídas
100 g de manteiga sem sal em temperatura ambiente cortada em pedaços

COBERTURA YIN-YANG

Veja Cobertura de Cupcakes da meia-noite (p. 76)

1. Preaqueça o forno a 180°C.
2. Misture a farinha, o fermento em pó, o sal e o chá. Reserve.
3. Numa tigela grande, bata as gemas com o açúcar até ficarem bem clarinhas. Adicione as amêndoas ou castanhas e bata bem. Adicione a manteiga e bata até ficar homogêneo. Junte os ingredientes secos e misture. Bata as claras em neve com uma pitada de sal até ficarem firmes, mas não secas, e incorpore à massa.
4. Distribua a massa nas forminhas de papel, preenchendo-as até ⅔. Asse por cerca de 20 minutos ou até que, ao espetar um palito, este saia limpo. Retire do forno e deixe esfriar.
5. Siga a receita de Cobertura de Cupcakes da meia-noite, mas, antes de adicionar o corante comestível preto, separe-a em duas partes. Uma será preta e a outra branca. Cubra os cupcakes compondo o símbolo yin-yang.

DICA

Você também pode cobrir os cupcakes com fondant pronto ou fazer a cobertura dos Cupcakes de Natal da p. 142. E decorá-los com motivos chineses.

CUPCAKES MINIFINANCIERS

"Financier" significa financista em francês, mas, na culinária, é um bolinho feito de castanhas moídas e claras em neve. Um pouco de geleia de damasco e pistaches moídos salpicados por cima finalizam este acompanhamento perfeito para saladas de frutas, sorvetes e outras sobremesas, além de ser um quitute ideal para o lanche da tarde.

24-30 MINICUPCAKES

150 g de farinha de trigo
1 colher (chá) de fermento
½ colher (chá) de sal, mais uma pitada para as claras em neve
125 g de amêndoas ou castanhas moídas
200 g de açúcar mascavo
5 claras
125 g de manteiga sem sal derretida e já fria
várias gotas de essência de amêndoa
115 g de geleia de damasco
60 g de pistaches moídos

1. Preaqueça o forno a 180°C.
2. Numa tigela grande, misture os primeiros cinco ingredientes. Reserve.
3. Bata as claras em neve com uma pitada de sal até ficarem firmes, mas não secas. Incorpore os ingredientes secos. Aos poucos, acrescente a manteiga derretida e algumas gotas de essência de amêndoa, misturando de leve com uma espátula.
4. Distribua a massa nas forminhas de papel ou silicone, preenchendo-as até a metade. Asse por 20 minutos ou até que, ao espetar um palito, ele saia limpo. Retire do forno e deixe esfriar.
5. Numa panela pequena, dissolva a geleia até ficar quente. Adicione algumas gotas de água, se preciso. Pincele os cupcakes já frios e salpique o pistache.

DICA
Você pode assá-los em minifôrmas de papel ou em moldes de minicupcakes de silicone.

PERA BELLE HÉLÈNE

Aqui está mais uma elegante sobremesa francesa transformada em cupcake. Em geral, trata-se de uma pera coberta com chocolate e servida com sorvete de chocolate.

12 UNIDADES PADRÃO
OU 6 GRANDES

150 g de farinha de trigo
1 colher (chá) de fermento em pó
½ colher (chá) de sal, mais uma pitada para as claras
200 g de chocolate amargo de boa qualidade (ao menos 55% de cacau)
125 g de manteiga sem sal
130 g de açúcar
3 ovos, claras e gemas separadas
3 peras frescas (sem casca) ou em calda escorridas e picadas, mais 1 em fatias para decorar

CALDA
100 g de açúcar
1 colher (sopa) de farinha de trigo
uma pitada de sal
360 ml de leite integral
90 g de chocolate amargo (ao menos 55% de cacau) em pedaços
30 g de manteiga sem sal cortada em pedaços
1 colher (chá) de essência de baunilha

1. Preaqueça o forno a 180°C.
2. Misture a farinha, o fermento e o sal. Reserve.
3. Derreta o chocolate com a manteiga numa tigela refratária, em banho-maria. Quando tiver derretido, retire, mexa bem e acrescente o açúcar. Misture até ficar homogêneo. Adicione uma gema por vez, mexendo bem após cada adição; em seguida, os ingredientes secos. Bata a massa até que não haja traços de farinha.
4. Bata as claras com a pitada de sal até ficarem firmes, mas não secas. Incorpore de leve à massa. Junte as peras picadas.
5. Distribua a massa nas forminhas, preenchendo-as até ⅔. Asse por 25 minutos ou até que, ao espetar um palito, ele saia limpo. Retire do forno e deixe esfriar.
6. Para a calda, misture numa tigela pequena o açúcar, a farinha e o sal. Reserve.
7. Aqueça o leite e o chocolate numa panela grande, em fogo baixo, até derreter. Mexa com uma colher de pau até ficar homogêneo e acrescente os ingredientes secos, misturando bem. Deixe cozinhar em fervura leve por 5 minutos, sem parar de mexer. Retire e acrescente a manteiga e a baunilha.
8. Cubra os cupcakes com a calda e decore com fatias de pera.

CUPCAKES DE CHOCOLATE BRANCO E FRAMBOESA

Estes cupcakes fáceis de fazer foram inspirados numa torta de chocolate branco e framboesas decorada com folhas de chocolate.

12-14 UNIDADES

200 g de farinha de trigo
1½ colher (chá) de fermento em pó
1 colher (chá) de sal
180 g de chocolate branco picado
125 g de manteiga sem sal em pedacinhos
200 g de açúcar
6 ovos
115 g de framboesas secas

COBERTURA

250 g de açúcar de confeiteiro
240 g de manteiga sem sal em temperatura ambiente em pedacinhos
uma pitada de sal
2 colheres (sopa) de licor de framboesa ou outro de sua preferência
folhas de chocolate para decorar
framboesas frescas ou congeladas para decorar

1. Preaqueça o forno a 180°C.
2. Misture a farinha, o fermento em pó e o sal. Reserve.
3. Derreta o chocolate e a manteiga numa tigela refratária, em banho-maria ou no micro-ondas. Retire, acrescente o açúcar e misture bem. Adicione um ovo por vez, mexendo bem após cada adição. Junte os ingredientes secos e as framboesas.
4. Distribua a massa em forminhas de papel, preenchendo-as até ⅔. Asse por 20-25 minutos ou até que, ao espetar o palito, ele saia limpo. Retire do forno e deixe esfriar.
5. Para a cobertura, peneire o açúcar na tigela grande da batedeira e acrescente a manteiga e uma pitada de sal. Bata em velocidade média até a cobertura ficar fofa. Acrescente o licor e continue batendo até ganhar boa consistência para espalhar. Cubra os cupcakes já frios.
6. Para fazer as folhas de chocolate, derreta 240 g de chocolate amargo numa tigela refratária em banho-maria ou no micro-ondas. Usando um pincel, pinte um dos lados das folhinhas com o chocolate. Coloque-as sobre papel-manteiga numa assadeira e leve à geladeira até o chocolate firmar (leva alguns minutos). Descole o chocolate das folhas com cuidado.
7. Decore os cupcakes cobertos com framboesas e as folhas de chocolate.

GÂTEAU DA SAVOIA

Este cupcake, na verdade, é um simples pão de ló criado na região francesa da Savoia, próxima aos Alpes. Sua beleza está na simplicidade. Pode-se acrescentar 75 g de castanhas ou frutas secas, algumas colheres de coco ralado ou de café etc. É bem versátil, você vai ver!

12 UNIDADES PADRÃO
OU 24-30 MINICUPCAKES

150 g de farinha de trigo
1 colher (chá) de fermento em pó
½ colher (chá) de sal, mais uma pitada para as claras em neve
125 g de manteiga sem sal em temperatura ambiente
150 g de açúcar
4 ovos, claras e gemas separadas
1 colher (chá) de essência de baunilha
açúcar de confeiteiro para polvilhar (opcional)
cobertura de sua escolha

1. Preaqueça o forno a 180°C.
2. Misture a farinha, o fermento e o sal. Reserve.
3. Bata a manteiga e o açúcar até obter um creme fofo. Adicione uma gema por vez, batendo bem após cada adição. Junte a essência de baunilha, misture e acrescente os ingredientes secos.
4. Bata as claras em neve com uma pitada de sal até ficarem firmes, mas não secas. Incorpore à massa.
5. Distribua a massa em forminhas de papel, preenchendo-as até ⅔. Asse por 20-25 minutos ou até que, ao espetar um palito no centro, este saia limpo. Os cupcakes não podem ficar borrachudos. Retire e deixe esfriar.
6. Polvilhe os cupcakes já frios com o açúcar de confeiteiro ou cubra-os com a cobertura de sua escolha.

DICA
Você pode cobri-los com uma calda, polvilhá-los com açúcar ou servi-los com salada de frutas.

CUPCAKES DE LARANJA COM AÇAFRÃO

Eles levam delicados fios de açafrão, além de laranja e amêndoas, e são perfeitos para o chá da tarde. Sirva com creme batido ou uma xícara de chá-preto. Não vai sobrar espaço para o jantar.

16-18 UNIDADES

- 240 ml de suco de laranja espremido na hora
- 1 colher (sopa) de raspas de laranja
- ¼ de colher (chá) de fios de açafrão (não o pó)
- 3 ovos
- 150 g de açúcar de confeiteiro, mais um pouco para polvilhar
- 250 g de farinha de trigo
- 2 colheres (chá) de fermento em pó
- 1 colher (chá) de sal
- 150 g de amêndoas moídas
- 125 g de manteiga sem sal derretida

1. Preaqueça o forno a 180°C.
2. Numa panela média, ferva o suco de laranja, as raspas e o açafrão. Abaixe o fogo e mantenha em fervura leve por mais 1 minuto. Retire e deixe esfriar.
3. Numa tigela grande, bata os ovos e o açúcar até que fiquem leves e espumosos. Acrescente a farinha, o fermento, o sal, as amêndoas, o suco de laranja e a manteiga, misturando bem com uma colher de sopa. A massa pode ficar um pouco espessa.
4. Distribua-a em forminhas de papel, preenchendo-as até ⅔. Alise com as costas de uma colher. Asse por 25 minutos ou até que, ao espetar um palito no centro, ele saia limpo. Retire do forno e deixe esfriar.
5. Polvilhe o açúcar de confeiteiro e sirva com creme de leite batido.

DICA

Você pode usar cobertura nesses cupcakes, se preferir. Experimente a de laranja (p. 137, por exemplo) ou decore com amêndoas caramelizadas (p. 87).

CHEESECAKES DE MORANGO

Um cheesecake como cupcake? É possível? Você vai descobrir que ninguém ficará decepcionado ao experimentar estes bolinhos recheados e cobertos com morango.

12 UNIDADES

90 g de cream cheese
150 g de açúcar
350 g de farinha de trigo
2½ colheres (chá) de fermento
1 colher (chá) de sal
2 ovos levemente batidos
240 ml de leite
30 g de manteiga sem sal derretida
1 colher (sopa) de raspas de laranja
12 morangos pequenos para o recheio

COBERTURA

1 clara
uma pitada de sal
240 ml de creme de leite fresco
120 g de açúcar de confeiteiro
2 colheres (sopa) de licor ou calda de morango
120 g de morangos amassados

1. Preaqueça o forno a 180°.
2. Misture o cream cheese com 50 g de açúcar. Reserve.
3. Numa tigela grande, misture a farinha, o fermento, o sal e o restante do açúcar.
4. Em outra tigela, bata os ovos com o leite e a manteiga derretida. Despeje sobre a farinha e misture rapidamente com a colher de pau. Acrescente as raspas de laranja.
5. Distribua metade da massa por 12 forminhas (1 colher de sopa em cada). Coloque 1 morango e 1 colher (chá) de cream cheese no centro e cubra com o restante da massa. Leve ao forno por 20 minutos. Retire e deixe esfriar antes de desenformar.
6. Para a cobertura, bata a clara em neve com o sal até ficar firme, mas não seca. Bata o creme de leite até formar picos leves, depois junte o açúcar e o licor. Adicione a clara batida. Incorpore de leve os morangos amassados. Decore os cupcakes com a cobertura e morangos a gosto na hora de servir.

CUPCAKES FESTIVOS

CUPCAKES DE DIA DOS NAMORADOS

Estes cupcakes recheados unem uma das duplas preferidas dos chocólatras – chocolate e cereja – com um creme que equilibra o sabor.

16 UNIDADES

225 g de farinha de trigo
75 g de cacau
2 colheres (chá) de fermento
1 colher (chá) de bicarbonato de sódio
1 colher (chá) de sal
125 g de manteiga sem sal
250 g de açúcar
2 ovos
1 colher (chá) de essência de baunilha
160 ml de creme de leite fresco com gotas de limão-siciliano

RECHEIO

180 g de cream cheese
3 colheres (sopa) de açúcar
4 colheres (sopa) de calda de marasquino
cerejas ao marasquino

COBERTURA

60 g de manteiga sem sal
300 g de açúcar de confeiteiro
3 colheres (sopa) de calda de marasquino
2 colheres (sopa) de cacau em pó
cerejas ao marasquino para decorar

1. Preaqueça o forno a 180°C.
2. Misture a farinha, o cacau, o fermento, o bicarbonato de sódio e o sal.
3. Bata a manteiga e o açúcar até obter um creme fofo. Adicione um ovo por vez, batendo bem após cada adição. Acrescente a baunilha. Alternadamente, bata junto a mistura de farinha e o creme de leite com limão.
4. Distribua em forminhas de cupcake, preenchendo-as até ⅔. Asse por 25 minutos. Retire do forno e deixe esfriar.
5. Para o recheio, misture com um garfo ou no processador o cream cheese, o açúcar e a calda de cereja. Use mais calda, se preciso. Abra uma tampa nos cupcakes e recheie com 1 colher (chá) de creme e 1 cereja. Tampe e reserve as sobras do creme.
6. Para a cobertura, bata a manteiga com as sobras do creme, até ficar leve. Adicione o açúcar de confeiteiro e a calda e bata até ficar cremoso. Se preciso, use mais calda. Polvilhe cacau em pó e coloque uma cereja no topo de cada cupcake.

DICA

Se quiser simplificar, use a cobertura da receita de Cupcakes banana split (p. 56).

CUPCAKES DE DIA DE REIS

Este dia, também conhecido como Epifania, celebra a chegada dos três Reis Magos a Belém. Em alguns países, marca o fim extraoficial das festas de fim de ano.

12 UNIDADES

265 g de farinha de trigo
2 colheres (sopa) de fermento
1 colher (chá) de sal
125 g de manteiga sem sal
225 g de açúcar
3 ovos
120 ml de leite
200 g de amêndoas sem casca picadas

RECHEIO

125 g de marzipã em temperatura ambiente picado
90 g de cream cheese em temperatura ambiente
75 g de açúcar de confeiteiro
12 amêndoas glaçadas

COBERTURA

100 g de manteiga sem sal
125 g de marzipã picado
375 g de açúcar de confeiteiro
2 colheres (sopa) de leite
amêndoas glaçadas

1. Para o recheio, misture os três primeiros ingredientes ou processe-os. Reserve. Preaqueça o forno a 180°C.
2. Misture a farinha, o fermento e o sal. Reserve.
3. Bata a manteiga e o açúcar até obter um creme fofo. Adicione um ovo por vez, misturando bem após cada adição. Alternadamente, acrescente os ingredientes secos e o leite, batendo até ficar homogêneo. Junte as amêndoas picadas.
4. Distribua metade da massa em 12 forminhas de cupcake. Coloque 1 colher (chá) do recheio no centro de cada uma e 1 amêndoa glaçada. Cubra com o restante da massa. Asse por 20 minutos ou até que, ao espetar um palito, ele saia limpo. Retire do forno e deixe esfriar.
5. Para a cobertura, bata a manteiga e o marzipã até ficar homogêneo (no processador, se preciso). Transfira para uma tigela grande, adicione o açúcar e bata até ficar cremoso. Acrescente um pouco de leite, para ficar menos espessa.
6. Cubra os cupcakes já frios. Decore com amêndoas glaçadas, três por cupcake (representando os três Reis Magos). Ou salpique amêndoas caramelizadas (p. 87).

CUPCAKES DE ST. PATRICK

No dia de St. Patrick, celebrado sobretudo na Irlanda, há desfiles e fogos de artifício. Seu símbolo é o trevo de três folhas – então prepare este cupcake verdinho para comemorar.

18 UNIDADES

150 g de farinha de trigo
1 colher (chá) de fermento em pó
1 colher (chá) de bicarbonato de sódio
1 colher (chá) de sal
1 colher (chá) de cardamomo em pó (opcional)
190 g de manteiga sem sal em temperatura ambiente
150 g de açúcar mascavo
3 ovos
1 colher (chá) de essência de baunilha
125 ml de iogurte natural
150 g de pistaches sem sal picados
corante comestível verde

COBERTURA

20 g de manteiga sem sal derretida
2 colheres (sopa) de leite quente
225 g de açúcar de confeiteiro
essência aromatizante (opcional)
corante comestível verde

1. Preaqueça o forno a 180°C.
2. Misture a farinha, o fermento em pó, o bicarbonato de sódio, o sal e o cardamomo. Reserve.
3. Bata a manteiga e o açúcar até obter um creme fofo. Adicione um ovo por vez, mexendo bem após cada adição. Junte a baunilha e o corante, se for usar. Alternadamente, acrescente a mistura de farinha e o iogurte. Adicione os pistaches.
4. Distribua a massa em forminhas de papel, preenchendo-as até ⅔. Asse por 25 minutos ou até que, ao inserir um palito no centro, ele saia limpo. Retire do forno e deixe esfriar.
5. Para a cobertura, misture a manteiga com o leite quente numa tigela. Acrescente o açúcar até ganhar consistência para espalhar. Se for usar uma essência (amêndoa, baunilha etc.), coloque agora. Adicione o corante, gota a gota. Cubra os cupcakes já frios e decore a gosto.

DICA

Você pode decorar estes cupcakes de cobertura branca com açúcar cor de laranja, em homenagem à Irlanda do Norte, ou com açúcar verde, que é a cor da Irlanda.

CUPCAKES IRLANDESES

A aveia, as sementes de alcaravia (que podem ser substituídas por linhaça) e as frutas vermelhas secas são típicas desta tradicional receita irlandesa. Sirva com um copo de uísque irlandês ou licor Bailey's. Quem sabe um duende não aparecerá para participar?

16 UNIDADES

300 g de farinha de trigo
1 colher (sopa) de aveia
2 colheres (chá) de fermento em pó
2 colheres (chá) de bicarbonato de sódio
1 colher (chá) de sal
125 g de manteiga sem sal em temperatura ambiente
200 g de açúcar
2 ovos
180 g de creme de leite
75 g de frutas vermelhas secas ou uvas-passas
1 colher (sopa) de sementes de alcaravia

COBERTURA IRLANDESA

60 g de manteiga sem sal em temperatura ambiente
300 g de açúcar de confeiteiro
uma pitada de sal
2 colheres (sopa) de uísque irlandês (ou licor tipo Bailey's)
corante comestível verde (opcional)
açúcar verde para polvilhar

1. Preaqueça o forno a 180°C.
2. Misture os ingredientes secos (menos o açúcar, as frutas e as sementes). Reserve.
3. Bata a manteiga e o açúcar até obter um creme fofo. Adicione um ovo por vez, batendo bem após cada adição. Alternadamente, misture os ingredientes secos e o creme de leite. Junte as frutinhas ou uvas-passas e as sementes.
4. Distribua a massa em forminhas de papel, preenchendo-as até ⅔. Asse por 25 minutos ou até que, ao espetar um palito no centro, ele saia limpo. Retire e deixe esfriar.
5. Para a cobertura, bata a manteiga, o açúcar e o sal até obter um creme fofo. Adicione aos poucos o licor (e o corante, se for usar) e bata até ganhar consistência para espalhar. Cubra os cupcakes já frios e salpique açúcar verde.

DICA
Para uma versão não alcoólica, polvilhe apenas açúcar de confeiteiro ou açúcar verde.

CUPCAKES DE DIA DAS MÃES

Seu amor expresso na delicadeza deste cupcake feito com água de rosas, recheado com geleia de rosas e enfeitado com pequenas rosinhas.

18 UNIDADES

400 g de farinha de trigo
3 colheres (chá) de fermento
1 colher (chá) de sal
125 g de manteiga sem sal em temperatura ambiente
150 g de açúcar
2 ovos
60 ml de calda de morango
240 ml de leite
geleia de rosas ou frutas vermelhas

COBERTURA

90 g de manteiga sem sal em temperatura ambiente
300 g de açúcar de confeiteiro
3 colheres (sopa) de calda de morango
½ colher (chá) de água de rosas (opcional)
corante comestível vermelho

1. Preaqueça o forno a 180°C.

2. Misture a farinha, o fermento e o sal. Reserve.

3. Bata a manteiga e o açúcar até obter um creme fofo. Adicione um ovo por vez, misturando bem após cada adição. Alternadamente, junte os ingredientes secos, a calda e o leite à manteiga batida, mexendo bem após cada adição.

4. Distribua a massa em forminhas de papel, preenchendo-as até ⅔. Asse por 25-30 minutos ou até que, ao espetar um palito, ele saia limpo. Retire do forno e deixe esfriar.

5. Quando os cupcakes estiverem frios, retire uma tampa do centro e recheie com a geleia. Tampe novamente.

6. Para fazer a cobertura, bata a manteiga e o açúcar até obter um creme fofo. Aos poucos, adicione a calda, a água de rosas e o corante e bata até ganhar uma boa consistência para espalhar. Cubra os cupcakes já frios e decore a gosto.

CUPCAKES DE PÁSCOA

Use cores vivas para decorar estes cupcakes como se fossem ovinhos de Páscoa. Use confeitos, docinhos, pasta americana etc. Convide as crianças para ajudar na decoração.

18 UNIDADES

75 g de farinha de trigo peneirada
raspas finas de 1 limão-siciliano pequeno
6 claras
uma pitada de sal ou ½ colher (chá) de cremor de tártaro
200 g de açúcar

COBERTURA

450 g de pasta americana ou Fondant branco (p. 142)
calda (se preciso): ferva 240 ml de água com 200 g de açúcar
corantes comestíveis

PARA DECORAR

confeitos
decorações de Páscoa

1. Preaqueça o forno a 180°C. Misture a farinha e as raspas de limão. Reserve.
2. Coloque as claras e o sal ou cremor de tártaro numa tigela grande. Bata até ficarem firmes – devem ficar um pouco úmidas. Junte o açúcar aos poucos. Gradualmente, incorpore a mistura de farinha com um batedor. Esta é a única vez em que a farinha é peneirada, pois permite que seja misturada devagar, para não desandar as claras em neve. Não mexa demais. A massa vai ficar linda, parecendo um merengue.
3. Distribua a massa nas forminhas de papel, passando um pouquinho da metade. Leve ao forno por 15-20 minutos ou até que os cupcakes dourem por cima e fiquem fofos. Retire do forno e deixe esfriar.
4. Prepare a pasta americana de acordo com as instruções do fabricante, ou use Fondant branco (p. 142). Você precisará, provavelmente, aquecê-lo em banho-maria ou no micro-ondas. Mexa até derreter. Se aquecer demais, ele perde o brilho e a consistência. Reparta-o em várias tigelas, dependendo do número de cores que quer usar. Adicione os corantes até conseguir as cores desejadas. Mergulhe os cupcakes na cobertura ou cubra-os com ajuda de uma faca. Decore a gosto com motivos de Páscoa.

CUPCAKES BORBOLETA DE LAVANDA

Um buquê de flores em forma de cupcake: lavanda, rosa e, quem sabe, um pouco de violeta! É perfeito para comemorar a chegada da primavera presenteando os amigos com este mimo – que ainda tem uma borboleta.

24-30 UNIDADES

200 g de farinha de trigo
2 colheres (chá) de fermento em pó
1 colher (chá) de sal
125 g de manteiga sem sal
150 g de açúcar
2 ovos
1 colher (chá) de essência de baunilha
125 ml de creme de leite fresco
2 colheres (sopa) de flores de lavanda secas
2 colheres (sopa) de sementes de linhaça para decorar
várias colheres (sopa) de sua geleia favorita (morango, framboesa etc.)

RECHEIO

240 ml de chantilly gelado
4 colheres (sopa) de açúcar
½ colher (chá) de essência de limão ou de outro sabor
1 colher (sopa) de raspas de limão (se usar a essência)

1. Preaqueça o forno a 180°C.
2. Misture a farinha, o fermento e o sal. Reserve.
3. Bata a manteiga e o açúcar até obter um creme fofo. Adicione um ovo por vez, mexendo bem após cada adição, e depois a baunilha. Alternadamente, junte a mistura de farinha e o creme de leite. Acrescente as flores de lavanda.
4. Distribua a massa nas forminhas de papel, preenchendo-as até ⅔. Asse por cerca de 25 minutos ou até que, ao espetar um palito no centro, ele saia limpo. Retire do forno e deixe esfriar.
5. Para o recheio, bata o chantilly numa tigela grande. Quando começar a firmar, misture aos poucos o açúcar e bata até começar a formar picos. Aromatize com a essência de limão.
6. Corte as tampas dos cupcakes e reserve-as – com elas serão feitas as borboletas. Use uma faca afiada para cavar um cone no centro dos cupcakes. Recheie com o creme e salpique as sementes de linhaça. Corte as tampas na metade e coloque-as sobre os bolinhos, para que pareçam asas. Coloque um pouco de geleia entre as asas para fazer o corpo das borboletas.

CUPCAKES VELUDO VERMELHO

É difícil imaginar por que alguém pensou em acrescentar corante vermelho ao bolo de chocolate, mas o efeito é lindo – este tema vermelho, branco e azul é dedicado ao 4 de Julho, quando é comemorada a Independência dos Estados Unidos.

18 UNIDADES PADRÃO OU 9 GRANDES

300 g de farinha de trigo
2 colheres (sopa) de cacau em pó
2 colheres (chá) de fermento em pó
1 colher (chá) de bicarbonato de sódio
1 colher (chá) de sal
125 g de manteiga sem sal em temperatura ambiente
300 g de açúcar
2 ovos
1 colher (chá) de essência de baunilha
1 colher (chá) de vinagre branco
1 colher (sopa) de corante comestível vermelho
240 ml de creme de leite fresco

COBERTURA

125 g de gordura vegetal ou manteiga
1 colher (sopa) de leite
½ colher (chá) de essência de baunilha
250 g de açúcar de confeiteiro

1. Preaqueça o forno a 180°C.
2. Misture a farinha, o cacau, o fermento, o bicarbonato de sódio e o sal. Reserve.
3. Bata a manteiga e o açúcar até obter um creme fofo. Adicione um ovo por vez, batendo bem após cada adição. Junte a baunilha, o vinagre e o corante. Alternadamente, adicione aos poucos a mistura de farinha e o creme de leite e bata até ficar homogêneo.
4. Distribua a massa nas forminhas de papel, preenchendo-as até ⅔, e cozinhe por 20-30 minutos ou até que, ao espetar um palito no centro, ele saia limpo. Retire do forno e deixe esfriar.
5. Para a cobertura, bata a gordura vegetal com o leite até ficar cremoso. Adicione a baunilha. Junte aos poucos o açúcar, depois bata com a batedeira até a cobertura ficar bem clara, leve e fofa. Talvez precise de mais leite para ficar na consistência certa. Cubra os cupcakes já frios e decore com confeitos.

DICA
Esta cobertura é perfeita para a aplicação de açúcar de várias cores.

CUPCAKES DE FRUTAS DO BOSQUE

Estes bolinhos vão agradar aos estômagos de gente do mundo todo! Decore-os com mirtilos e framboesas e calda de framboesa por cima, tudo sobre uma cobertura branca.

12 UNIDADES PADRÃO OU 6 GRANDES

250 g de farinha de trigo
2 colheres (chá) de fermento em pó
1 colher (chá) de bicarbonato de sódio
1 colher (chá) de sal
125 g de manteiga sem sal em temperatura ambiente
130 g de açúcar
1 ovo
240 ml de creme de leite fresco
1 colher (chá) de essência de baunilha
100 g de mirtilos (congelados ou frescos)
100 g de framboesas (congeladas ou frescas)
açúcar de confeiteiro ou Fondant branco (p. 142)
115 g de geleia de framboesa
framboesas e mirtilos para decorar

1. Preaqueça o forno a 180°C.
2. Misture a farinha, o fermento, o bicarbonato de sódio e o sal. Reserve.
3. Bata a manteiga e o açúcar até obter um creme fofo. Adicione o ovo, o creme de leite e a baunilha e misture bem. Junte com cuidado as frutinhas. Se for usá-las congeladas, não descongele antes do uso.
4. Distribua a massa em forminhas de papel, preenchendo-as até ⅔. Asse por 25 minutos ou até que os cupcakes dourem bem. Retire do forno e deixe esfriar por completo antes de desenformar.
5. Polvilhe açúcar sobre os cupcakes já frios ou cubra-os com o Fondant branco.
6. Depois que estiverem cobertos, aqueça a geleia de framboesa numa panela pequena até ficar líquida (não cozinhe). Retire imediatamente. Coloque algumas framboesas sobre os bolinhos enquanto a cobertura ainda estiver um pouco mole. Cerque com mirtilos. Use um pincel para passar a geleia por cima. Assim ficarão brilhantes e bem fixos no lugar.

CUPCAKES DE AÇÃO DE GRAÇAS

Podem ser servidos na sobremesa do famoso feriado americano, mas também em qualquer outra ocasião. Adultos e crianças vão adorar.

12 UNIDADES

150 g de farinha de trigo
1 colher (chá) de fermento em pó
1 colher (chá) de sal
2 colheres (chá) de canela
½ colher (chá) de noz-moscada ralada
120 ml de óleo
100 g de açúcar
50 g de açúcar mascavo
2 ovos
75 g de cenoura ralada
60 g de nozes picadas
75 g de damascos secos picados

COBERTURA DE CANELA

60 g de manteiga sem sal
180 g de cream cheese
1 xícara (chá) de açúcar de confeiteiro
1 colher (chá) de essência de baunilha
1 colher (chá) de canela
½ colher (chá) de gengibre em pó
½ colher (chá) de noz-moscada ralada
¼ de colher (chá) de cravo-da-índia em pó
canela para polvilhar

1. Preaqueça o forno a 180°C.
2. Misture a farinha, o fermento em pó, o sal e as especiarias. Reserve.
3. Usando a batedeira ou uma colher de pau, bata o óleo e os dois açúcares até ficar homogêneo. Adicione um ovo por vez, batendo sempre. Acrescente a mistura de farinha e bata mais. Junte as cenouras, as nozes e os damascos.
4. Distribua em forminhas de papel, preenchendo-as até ⅔. Asse por 25-30 minutos ou até que, ao espetar um palito no centro, ele saia limpo. Retire do forno e deixe esfriar.
5. Para a cobertura, bata a manteiga e o cream cheese até obter um creme leve e fofo. Aos poucos, adicione o açúcar, sem parar de bater. Acrescente a baunilha e as especiarias e continue batendo, até ganhar consistência ideal para espalhar. Cubra os cupcakes, polvilhe a canela e decore a gosto.

DICA

Em vez de damasco, use a fruta de sua preferência.

CUPCAKES DE MAÇÃ COM ESPUMANTE

São ótimos para uma sobremesa ou lanche especial de outono. O espumante dá leveza à massa, mas use suco de maçã se preferir uma versão não alcoólica.

12 UNIDADES

225 g de farinha de trigo
2 colheres (chá) de fermento em pó
1 colher (chá) de sal
1 colher (chá) de canela
125 g de manteiga sem sal em temperatura ambiente
130 g de açúcar
2 ovos
180 ml de espumante ou vinho branco
150 g de maçãs secas picadinhas

PURÊ DE MAÇÃ

3-4 maçãs sem casca picadas
200 g de açúcar mascavo
100 g de manteiga sem sal cortada em pedaços
30 ml de água
1 colher (chá) de canela
½ colher (chá) de sal
canela para polvilhar
fatias de maçã (seca ou fresca)

1. Preaqueça o forno a 180°C.
2. Misture a farinha, o fermento em pó, o sal e a canela. Reserve.
3. Bata a manteiga e o açúcar até obter um creme fofo. Acrescente um ovo por vez, batendo após cada adição. Alternadamente, adicione o espumante e os ingredientes secos. Quando a massa estiver homogênea, junte as maçãs.
4. Distribua a massa em forminhas de papel, preenchendo-as até ⅔. Asse por 25 minutos ou até que, ao espetar um palito, ele saia limpo. Retire do forno e deixe esfriar.
5. Quando os cupcakes estiverem frios, cave no centro com um boleador e recheie com o purê de maçã: misture todos os ingredientes numa panela grande e cozinhe em fogo baixo por 5-10 minutos ou até que as maçãs amoleçam. Retire e amasse as maçãs com um garfo. Deixe esfriar antes de rechear os cupcakes.
6. Polvilhe um pouco de canela e decore com fatias de maçã e nozes cortadas ao meio.

DICA

Guarde a massa retirada dos cupcakes e congele-a. Ela pode ser usada na receita de Minicupcakes Lamington (p. 178).

CUPCAKES DE DIA DAS BRUXAS

O suco de laranja é um dos principais ingredientes da massa e da cobertura deste cupcake bonito e saudável. E a cobertura tem a cor e a consistência apropriadas para uma decoração de Dia das Bruxas ou Dia do Saci, que se comemora na mesma data.

16 UNIDADES

300 g de farinha de trigo
2 colheres (chá) de fermento em pó
1 colher (chá) de sal
125 g de manteiga sem sal em temperatura ambiente
200 g de açúcar
2 ovos
suco e raspas finas de 1 laranja
1 colher (chá) de suco de limão-siciliano
algumas gotas de corante comestível laranja (opcional)

CALDA DE LARANJA COM LIMÃO

200 g de açúcar
¼ de xícara de maisena
240 ml de suco de laranja
1 colher (chá) de suco de limão-siciliano
uma pitada de sal
30 g de manteiga sem sal
corante comestível laranja (opcional)

1. Preaqueça o forno a 180°C. Misture a farinha, o fermento e o sal. Reserve.
2. Bata a manteiga e o açúcar até obter um creme fofo. Adicione um ovo por vez, misturando bem após cada adição.
3. Misture o suco de laranja e o de limão e adicione água suficiente para obter ⅔ de xícara (chá). Alternadamente, acrescente a mistura de farinha e o creme de ovo. Junte as raspas e bata até ficar homogêneo. Se quiser, coloque o corante.
4. Distribua a massa em forminhas de papel, preenchendo-as até ⅔. Asse por 25 minutos ou até que, ao espetar um palito, ele saia limpo. Retire do forno e deixe esfriar.
5. Para fazer a calda, misture o açúcar e a maisena numa panela e leve ao fogo baixo. Aos poucos, vá adicionando os sucos de laranja e limão e misture bem para ficar homogêneo. Junte o sal e a manteiga. Cozinhe em fogo baixo, mexendo sempre até ficar espesso e brilhante. Retire e deixe esfriar. Use o corante, se quiser. Pincele os cupcakes e decore com motivos de Dia das Bruxas.

CUPCAKES DE ABÓBORA COM PECÃ

Esta é uma torta de abóbora em forma de cupcake – perfeito para servir às crianças no Dia das Bruxas.

16 UNIDADES

250 g de farinha de trigo
2 colheres (chá) de fermento em pó
1 colher (chá) de sal
1 colher (chá) de canela
½ colher (chá) de gengibre em pó
½ colher (chá) de noz-moscada ralada
½ colher (chá) de cravo em pó
125 g de manteiga sem sal
150 g de açúcar mascavo
2 ovos
2 colheres (chá) de essência de baunilha
250 g de abóbora cozida
100 g de nozes-pecãs (ou castanha de caju, ou outra castanha)

COBERTURA DE LARANJA

60 g de manteiga sem sal
300 g de açúcar de confeiteiro
1 colher (sopa) de suco de laranja
1 colher (sopa) de raspas de laranja
1 clara
uma pitada de sal

1. Preaqueça o forno a 180°C.
2. Misture a farinha, o fermento, o sal e as especiarias. Reserve.
3. Bata a manteiga e o açúcar até obter um creme fofo. Adicione um ovo por vez, mexendo bem após cada adição. Acrescente a baunilha e a abóbora e bata até ficar homogêneo. Junte os ingredientes secos e as pecãs.
4. Distribua a massa em forminhas de papel, preenchendo-as até ⅔. Alise com as costas de uma colher. Asse por 30 minutos ou até que, ao espetar um palito no centro, ele saia limpo. Retire do forno e deixe esfriar por completo antes de desenformar.
5. Para a cobertura, bata a manteiga e o açúcar até obter um creme fofo. Adicione o suco e as raspas de laranja e continue batendo. Bata a clara com uma pitada de sal até ficar firme, mas não seca. Incorpore de leve à mistura. Espalhe sobre os cupcakes já frios e decore a gosto.

DICA

A cobertura de laranja pode ser incrementada com um pedaço de laranja cristalizada ou sementes de abóbora, confeitos, cobertura de chocolate bem escuro etc.

CUPCAKES DE CHOCOLATE E CANELA DECORADOS

Estes cupcakes homenageiam o "Dia de los Muertos", uma comemoração típica do México em honra da morte, celebrada em novembro. A receita leva chocolate mexicano.

16 UNIDADES

265 g de farinha de trigo
2 colheres (chá) de fermento em pó
1 colher (chá) de sal, mais uma pitada
1 colher (chá) de canela
175 g de chocolate mexicano (ou outro, se não conseguir encontrar)
120 ml de leite
125 g de manteiga sem sal
150 g de açúcar mascavo
4 ovos, claras e gemas separadas
1 colher (chá) de essência de baunilha (mexicana, se possível)

GLACÊ DE CANELA

125 g de manteiga sem sal
300 g de açúcar de confeiteiro
1 colher (sopa) de leite
1 colher (chá) de essência de baunilha (mexicana, se possível)
1 colher (chá) de canela

PARA DECORAR

açúcar colorido ou canela
caveiras
confeitos

1. Preaqueça o forno a 180°C. Misture os ingredientes secos (menos o açúcar). Reserve.
2. Derreta o chocolate e o leite juntos numa tigela refratária, em banho-maria ou no micro-ondas. Assim que derreter, retire, mexa e deixe esfriar.
3. Bata a manteiga e o açúcar mascavo até obter um creme fofo. Adicione uma gema por vez, batendo bem após cada adição. Junte ao chocolate e adicione a baunilha. Mexa até ficar homogêneo. Coloque os ingredientes secos em três levas, misturando bem até incorporar à massa.
4. Bata as claras em neve com uma pitada de sal até que fiquem firmes, mas não secas. Incorpore à massa de leve. Distribua a massa em forminhas de papel, preenchendo-as até ⅔. Cozinhe por cerca de 20-25 minutos ou até que, ao espetar um palito, ele saia limpo.
5. Para a cobertura, bata a manteiga e o açúcar até obter um creme fofo. Adicione o leite, a baunilha e a canela e continue batendo até ganhar consistência para espalhar. Cubra os cupcakes e decore-os.
6. Para decorar, salpique a canela ou o açúcar e finalize com as caveiras e os confeitos.

CUPCAKES DE MEL E AVELÃ

Estes cupcakes foram inspirados no Hanukká, a Festa das Luzes para os judeus, uma das mais alegres do calendário judaico. Eles são delicados e dão um toque de sofisticação após qualquer tipo de refeição.

12 UNIDADES

- 160 g de manteiga sem sal cortada em pedaços
- 100 g de mel
- 40 g de farinha de trigo
- 150 g de açúcar
- 100 g de avelãs moídas
- 1 colher (chá) de sal, mais uma pitada para as claras
- 4 ovos, claras e gemas separadas

CALDA DE MEL

- 2 colheres (sopa) de mel
- 1 colher (sopa) de suco de limão-siciliano
- 75 g de açúcar de confeiteiro, mais um pouco para polvilhar (opcional)
- doces para decorar (opcional)

1. Preaqueça o forno a 180°C.
2. Derreta a manteiga e o mel juntos numa panela. Reserve.
3. Misture a farinha, o açúcar, as avelãs e o sal numa tigela. Reserve.
4. Bata as claras com a pitada de sal até ficarem firmes, mas não secas. Reserve.
5. Despeje a manteiga com mel sobre os ingredientes secos e misture bem com uma colher de pau. Adicione as gemas e misture de novo. Incorpore de leve as claras em neve. A massa vai ficar leve e aerada.
6. Distribua em 12 forminhas de papel, preenchendo-as até a metade. Cozinhe por 20-25 minutos ou até que, ao espetar um palito, ele saia limpo. Retire do forno e deixe esfriar.
7. Para fazer a calda, aqueça o mel numa panela pequena e, gradualmente, vá adicionando-o, com o limão, ao açúcar, mexendo sempre. Cubra os cupcakes já frios na hora de servir. Ou polvilhe-os com açúcar de confeiteiro.

CUPCAKES NATALINOS DE CHOCOLATE

Esta é uma versão das bengalas doces que costumam ser feitas no Natal, nos Estados Unidos e na Europa. Sirva na ceia com as outras guloseimas.

18 UNIDADES

240 ml de água
4 saquinhos de chá de hortelã--pimenta ou hortelã
300 g de farinha de trigo
2 colheres (chá) de fermento em pó
1 colher (chá) de bicarbonato
1 colher (chá) de sal, mais uma pitada para as claras em neve
75 g de chocolate amargo
300 g de açúcar
125 g de manteiga sem sal em pedaços
2 ovos, claras e gemas separadas
120 ml de creme de leite fresco com algumas gotas de limão

COBERTURA

120 g de cream cheese em temperatura ambiente
1 colher (sopa) de leite
uma pitada de sal
algumas gotas de essência de hortelã
375 g de açúcar de confeiteiro
35 g de balas de hortelã trituradas
decorações natalinas comestíveis

1. Preaqueça o forno a 180°C.
2. Ferva a água numa panela pequena e coloque os saquinhos de chá. Deixe em infusão por cerca de 10 minutos.
3. Enquanto isso, misture a farinha, o fermento, o bicarbonato de sódio e o sal. Reserve.
4. Retire os saquinhos do chá e descarte-os. Numa tigela refratária, sobre uma panela com água fervente, coloque o chá de hortelã, o chocolate, o açúcar e a manteiga. Misture até que o chocolate e a manteiga derretam e o creme fique homogêneo. (Pode fazer isso no micro-ondas.) Retire, adicione as gemas e bata. Alternadamente, junte aos poucos a mistura de farinha e o creme de leite com limão, até que a massa fique homogênea.
5. Bata as claras em neve com uma pitada de sal até que fiquem firmes, mas não secas. Incorpore-as de leve à massa.
6. Distribua a massa em forminhas de papel, preenchendo-as até ⅔. Asse por 25 minutos. Retire do forno e deixe esfriar.
7. Para a cobertura, misture numa tigela grande o cream cheese, o leite, o sal e a essência de hortelã e bata bem. Aos poucos, junte o açúcar de confeiteiro até ficar cremoso. Misture as balas trituradas. Espalhe sobre os cupcakes já frios e decore com os confeitos natalinos.

CUPCAKES DE NATAL

São uma espécie de cruzamento entre pudim de Natal e bolo de frutas, com um toque de conhaque para aquecer os corações na véspera do dia 25.

12 UNIDADES PADRÃO OU 6 GRANDES

200 g de frutas cristalizadas
80 ml de conhaque
300 g de farinha de trigo
150 g de açúcar mascavo
2 colheres (chá) de fermento em pó
1 colher (chá) de sal
1 colher (chá) de pimenta-da-jamaica
1 colher (chá) de canela
½ colher (chá) de gengibre em pó
½ colher (chá) de noz-moscada ralada
120 ml de leite
1 ovo levemente batido
2 colheres (sopa) de geleia de damasco
1 colher (chá) de raspas de laranja
1 colher (chá) de raspas de limão
125 g de manteiga sem sal derretida

FONDANT BRANCO

150 g de açúcar de confeiteiro
1 colher (chá) de raspas de limão
1 colher (chá) de suco de limão

1. Numa tigela, misture as frutas e o conhaque e deixe de molho por 2 horas, mexendo de vez em quando.
2. Preaqueça o forno a 180°C.
3. Numa tigela grande, misture a farinha, o açúcar, o fermento, o sal e as especiarias. Reserve.
4. Bata o leite com o ovo, a geleia, as raspas e a manteiga derretida, já fria. Junte à farinha e misture bem. Adicione as frutas e o conhaque.
5. Distribua a massa em forminhas de cupcake, preenchendo-as até ⅔. Asse por 20-30 minutos ou até que, ao espetar um palito, ele saia limpo. Retire do forno e deixe esfriar.
6. Para a cobertura, misture o açúcar e as raspas de limão e, aos poucos, acrescente o suco de limão até obter uma pasta fácil de espalhar. Pode ser que não precise do limão. Cubra os cupcakes e decore-os a gosto.

DICA
Você também pode usar glacê comprado pronto para cobrir os cupcakes.

CUPCAKES DE CHAMPANHE DO ANO-NOVO

Nada como champanhe para deixar o ano velho para trás e abraçar o novo! Cubra estes cupcakes deliciosos com um creme de champanhe e celebre o Ano-Novo com estilo.

16 UNIDADES

300 g de farinha de trigo
2 colheres (chá) de fermento em pó
½ colher (chá) de sal
125 g de manteiga sem sal em temperatura ambiente
350 g de açúcar
180 ml de champanhe rosé
corante comestível vermelho (opcional)
6 claras
uma pitada de sal ou de cremor de tártaro

COBERTURA DE CHAMPANHE

190 g de manteiga sem sal em temperatura ambiente
300 g de açúcar de confeiteiro
2 colheres (sopa) de champanhe ou espumante
corante comestível vermelho (opcional)
decorações a gosto

1. Preaqueça o forno a 180°C.
2. Misture os ingredientes secos (menos o açúcar). Reserve.
3. Bata a manteiga e o açúcar até obter um creme fofo. Alternadamente, ponha aos poucos a mistura de farinha e o champanhe, misturando bem após cada adição. Acrescente o corante, se desejar.
4. Bata as claras com uma pitada de sal ou de cremor de tártaro até ficarem firmes, mas não secas, e incorpore-as de leve à massa.
5. Distribua a massa nas forminhas de papel, preenchendo-as até ⅔. Asse por 25-30 minutos ou até que, ao espetar um palito, ele saia limpo. Retire do forno e deixe esfriar.
6. Para a cobertura, bata a manteiga e o açúcar até obter um creme. Adicione aos poucos o champanhe e o corante, se for usar, e continue batendo até ganhar consistência para espalhar. Acrescente mais champanhe para obter uma cobertura mais mole. Cubra os cupcakes já frios e decore a gosto.

DICA

Use bebidas gasosas aromatizadas com morango, se preferir fazer uma versão não alcoólica.

CUPCAKES DE RÉVEILLON

Que tal celebrar o Ano-Novo de forma bem alegre? Estes cupcakes são cobertos com confeitos coloridos e crocantes.

12 UNIDADES PADRÃO OU 24 MINICUPCAKES

150 g de farinha de trigo
1 colher (chá) de fermento em pó
1 colher (chá) de sal
100 g de manteiga sem sal em temperatura ambiente
100 g de açúcar
3 ovos
1 colher (sopa) de conhaque ou 1 colher (chá) de essência de baunilha
80 g de creme de leite
35 g de balinhas coloridas picadas

COBERTURA DE 4 MINUTOS

1 clara
150 g de açúcar
uma pitada de sal
3 colheres (sopa) de água
1 colher (chá) de glicose de milho
1 colher (chá) de essência de baunilha ou 1 colher (sopa) de conhaque
confeitos de chocolate coloridos

1. Preaqueça o forno a 180°C.
2. Misture a farinha, o fermento e o sal. Reserve.
3. Bata a manteiga e o açúcar até obter um creme fofo. Acrescente um ovo por vez, mexendo bem após cada adição, depois junte o conhaque ou a baunilha. Alternadamente, adicione aos poucos a mistura de farinha e o creme de leite. Junte por fim as balinhas.
4. Distribua em forminhas de papel, preenchendo-as até ⅔. Asse por cerca de 20 minutos ou até que, ao espetar um palito no centro, ele saia limpo. Retire do forno e deixe esfriar.
5. Para fazer a cobertura: coloque a clara, o açúcar, o sal, a água e a glicose de milho numa tigela refratária. Bata por cerca de 1 minuto até ficar homogêneo. Leve ao banho-maria sobre panela com água fervente, batendo até formar picos leves. Acrescente a baunilha ou o conhaque e bata por mais 1 minuto, até ganhar consistência para espalhar. Cubra os cupcakes já frios e salpique os confeitos antes que a cobertura endureça.

CUPCAKES DIFERENTES

CUPCAKES ROSA DO DESERTO

Estes cupcakes não são assados. Podem ser feitos pelas próprias crianças com a ajuda de um adulto. São ótimos para uma festinha ou mesmo para o lanche, pois são rápidos de preparar.

12 UNIDADES PADRÃO OU 24 MINICUPCAKES

240 ml de chocolate amargo ou ao leite picado
200 g de manteiga sem sal em temperatura ambiente cortada em pedaços
200 g de açúcar de confeiteiro
150 g de flocos de milho

1. Derreta o chocolate e a manteiga numa tigela refratária, em banho-maria. Misture bem.
2. Adicione o açúcar e o cereal e misture de leve, até que todo o cereal esteja coberto com chocolate.
3. Distribua a massa nas forminhas de papel e leve à geladeira por algumas horas. Retire e sirva.

DICA

Substitua o chocolate amargo ou ao leite por chocolate branco e os flocos de milho por flocos de arroz, de cevada, de aveia ou por outro cereal matinal.

MINIMERENGUES DE AMÊNDOA E AVELÃ

Eles são feitos em minifôrmas de cupcake. Podem ser servidos sozinhos ou com salada de frutas, sorvete e outras sobremesas. São fáceis de fazer, versáteis e deliciosos.

30 MINICUPCAKES

50 g de amêndoas moídas
50 g de avelãs moídas
150 g de açúcar
5 claras
uma pitada de sal
85 g de avelãs ou amêndoas (ou castanhas) torradas e picadas
açúcar de confeiteiro para polvilhar

DICA
Em temperatura ambiente, eles resistem por vários dias e podem ser congelados em recipiente hermético.

1. Preaqueça o forno a 170°C.
2. Misture as amêndoas, as avelãs e 50 g de açúcar. Reserve. Se preferir, use apenas amêndoas, ou avelãs, outras castanhas ou duas delas combinadas.
3. Bata as claras com sal até ficarem opacas. Vá adicionando o restante do açúcar e continue a bater até ficarem firmes e formarem picos brilhantes. Incorpore às amêndoas, usando uma espátula ou um batedor. Você pode começar com o batedor e finalizar com a espátula. Não misture demais.
4. Distribua em forminhas. Pode-se usar um saco de confeitar para fazer isso, ou apenas uma colher. Salpique as amêndoas, avelãs ou castanhas por cima, pressionando um pouco. Polvilhe um pouco de açúcar de confeiteiro. Deixe os merengues descansarem por 10 minutos, depois polvilhe de novo o açúcar de confeiteiro e deixe descansar por mais 10 minutos.
5. Asse por 25-30 minutos ou até dourar bem e parecer firme ao toque. Deixe esfriar antes de desenformar.

CUPCAKES TORTA DE MAÇÃ

A torta de maçã que serve de base para esta receita é a preferida dos norte-americanos. Estes cupcakes podem ser feitos em fôrmas de silicone de tamanho padrão ou maiores. Sirva-os com uma fatia de queijo forte ou uma porção de chantilly.

8 UNIDADES PADRÃO OU 4 GRANDES

MASSA

Veja Cupcakes torta de chocolate (p. 152)

RECHEIO

4-5 maçãs sem casca picadas
1 colher (sopa) de suco de limão--siciliano
100 g de açúcar, mais 2 colheres (sopa) para polvilhar
uma pitada de sal e outra de noz--moscada ralada
1 colher (chá) de canela
2 colheres (sopa) de farinha de trigo
65 g de manteiga sem sal em temperatura ambiente

1. Preaqueça o forno a 230°C.

2. Veja a receita de Cupcakes torta de chocolate (p. 152) e siga as instruções para abrir a massa e forrar as forminhas. Reserve massa suficiente para cobrir o recheio dos cupcakes.

3. Numa tigela grande, misture as maçãs com o suco de limão, 100 g de açúcar, sal, noz-moscada, canela e farinha, mexendo bem. Distribua esse recheio sobre a massa nas forminhas e coloque um pouco de manteiga por cima. Tampe os cupcakes com a massa reservada, pressionando as beiradas para criar um efeito bonito. Faça dois cortes na parte de cima para liberar o vapor durante o cozimento e polvilhe o restante do açúcar.

4. Asse no forno por 10 minutos, depois abaixe a temperatura para 180°C. Deixe por mais 15-20 minutos ou até dourar bem. Deixe esfriar completamente antes de desenformar.

VARIAÇÃO: CUPCAKES TORTA DE PÊSSEGO

Substitua as maçãs por pêssegos e corte em fatias. Use apenas uma pitada de canela.

VARIAÇÃO: CUPCAKES TORTA DE MIRTILO

Troque as maçãs por mirtilos e não use canela.

CUPCAKES TORTA DE CHOCOLATE

A inspiração para estes cupcakes foi uma torta de chocolate baseada na receita de Bernachon, o grande mestre chocolateiro de Lyon. A receita foi testada em forminhas de silicone grandes, mas também pode ser feita em forminhas de papel.

14-16 UNIDADES

massa de torta (de qualquer tipo, como folhada ou "podre") suficiente para 2 tortas de 23 cm de diâmetro
farinha de trigo para polvilhar

RECHEIO

125 g de chocolate amargo picado
450 g de creme de leite
130 g de açúcar
5 ovos

PARA DECORAR

nozes cortadas ao meio
chantilly (opcional)

1. Preaqueça o forno a 180°C.
2. Abra a massa de torta sobre uma mesa polvilhada com farinha e corte círculos de 10 cm de diâmetro. Forre as fôrmas de silicone ou de papel, dobrando as beiradas para que fiquem bonitas. Faça alguns furos no fundo com um garfo para que não estufe durante o cozimento. Com cuidado!
3. Derreta o chocolate numa tigela refratária grande, em banho-maria. Retire assim que tiver derretido (não cozinhe). Acrescente o creme de leite, o açúcar e os ovos e bata até ficar homogêneo.
4. Com cuidado, distribua o recheio sobre as massas, preenchendo-as até ¾. Asse por 25 minutos ou até que o chocolate cozinhe. O recheio vai crescer, mas depois murchar quando esfriar. Deixe esfriar completamente antes de desenformar.
5. Decore com as nozes e, se quiser, com chantilly. Se tiver usado fôrmas de silicone, transfira para bonitas forminhas de papel antes de servir.

CUPCAKES DE CEREJA E AMÊNDOA

Embora seja possível usar qualquer recheio em cupcakes tipo torta, como estes, esta é uma ótima combinação.

14-16 UNIDADES

MASSA
Veja Cupcakes torta de chocolate (p. 152)

RECHEIO
- 125 g de manteiga sem sal em temperatura ambiente
- 100 g de açúcar
- 2 ovos grandes
- 100 g de amêndoas ou castanhas moídas
- raspas finas de 1 limão-siciliano
- 325 g de cerejas sem caroço (frescas, em calda ou congeladas)
- açúcar de confeiteiro para polvilhar
- amêndoas laminadas para decorar

1. Preaqueça o forno a 180°C.
2. Veja a receita de Cupcakes torta de chocolate (p. 152) e siga as instruções para abrir a massa e forrar as fôrmas.
3. Bata a manteiga e o açúcar até obter um creme fofo. Adicione um ovo por vez, batendo bem após cada adição. Junte as amêndoas moídas e as raspas de limão e misture bem. Distribua o recheio nas forminhas já forradas com a massa, preenchendo-as até a metade. Pressione as cerejas na mistura, empurrando-as com os dedos.
4. Asse por 25-30 minutos ou até dourarem e crescerem. Desligue o forno, abra a porta e deixe os cupcakes lá dentro por mais 10 minutos. Retire e deixe esfriar. Polvilhe açúcar e decore com amêndoas laminadas antes de servir.

CUPCAKES BAKLAVA

A inspiração para estes cupcakes é esta sobremesa maravilhosa e elegante, típica do Norte da África e dos países do Mediterrâneo.

12 UNIDADES

- 150 g de castanhas de sua preferência
- 60 g de sementes de gergelim torradas
- 1 colher (chá) de canela
- ½ colher (chá) de cardamomo
- ½ xícara (chá) de mel
- 1 colher (sopa) de suco de limão--siciliano
- 1 colher (chá) de água de flor de laranjeira ou de rosas
- 225 g de massa folhada
- 125 g de manteiga sem sal derretida e já fria

1. Preaqueça o forno a 180°C.
2. Bata as castanhas no processador. Transfira para uma tigela e misture o gergelim, a canela e o cardamomo. Misture bem.
3. Numa panela pequena, aqueça o mel, o suco de limão e a água de flor de laranjeira ou de rosas até ficar líquido e morno ao toque (não cozinhe). Despeje sobre as castanhas e misture.
4. Corte a massa folhada em quadrados de 12 cm. Coloque-os em fôrmas de silicone de tamanho padrão. Pincele com manteiga derretida. Repita mais cinco vezes para cada cupcake, dobrando as pontas para cobrir totalmente o interior das forminhas. Achate a massa para que se ajuste bem. Coloque 1 colher (sopa) cheia de castanhas com mel no centro de cada cupcake. Use uma tesoura ou faca afiada para cortar o excesso de massa ou deixe como está.
5. Asse por 15-20 minutos ou até dourar por cima e cozinhar por dentro. Retire e deixe esfriar. Desenforme com cuidado. Os bolinhos endurecem conforme esfriam. Sirva-os em forminhas de papel decoradas.

DICA

Sirva com café expresso ou chá de hortelã, como sobremesa ou no lanche.

CUPCAKES PANNA COTTA COM CHOCOLATE BRANCO

Panna Cotta é um creme de ovo italiano que, literalmente, significa "creme cozido". Tecnicamente, esta receita não é de panna cotta, pois usa gelatina em vez de gemas para firmar a massa. Mas, em compensação, é fácil de fazer e fica deliciosa servida com calda de maracujá, ou outra calda de fruta de sua escolha. Use fôrmas de silicone decoradas, se tiver.

8-10 UNIDADES

PANNA COTTA
300 g de creme de leite
180 ml de leite integral
150 g de chocolate branco em pedaços
50 g de açúcar
2 colheres (chá) de gelatina sem sabor
1 colher (sopa) de água

CALDA DE MARACUJÁ
120 g de polpa de maracujá
240 ml de vinho branco doce (como muscat)
50 g de açúcar

1. Numa panela média, misture o creme de leite, o leite, o chocolate e o açúcar. Leve ao fogo baixo, mexendo sempre, até ficar cremosa (mas sem ferver).
2. Aqueça a gelatina e a água numa tigela refratária grande, em banho-maria. Junte a gelatina e mexa até dissolvê-la, depois misture ao chocolate.
3. Distribua a massa em 8-10 forminhas de silicone. Leve à geladeira por 3 horas para firmar.
4. Enquanto isso, misture a polpa de maracujá com o vinho e o açúcar numa panela pequena. Deixe ferver, abaixe o fogo e cozinhe por 10 minutos sem mexer, até reduzir a ⅓. Retire e deixe esfriar.
5. Desenforme a panna cotta sobre pratos individuais e sirva com a calda.

CUPCAKES BABA AO RUM

Estes deliciosos cupcakes de rum ficam ótimos servidos com chá e também como sobremesa, sobretudo se acompanhados de chantilly ou creme de confeiteiro (p. 162). Use qualquer tamanho de fôrma, dependendo do efeito que busca. Minicupcakes podem lambuzar a ponta dos dedos, mas seus convidados vão se deliciar – e lhe dar os parabéns!

12 UNIDADES

125 g de farinha de trigo
2 colheres (chá) de fermento em pó
½ colher (chá) de sal, mais uma pitada para as claras
3 ovos, claras e gemas separadas
125 g de açúcar
6 colheres (sopa) de leite quente
60 g de manteiga sem sal em temperatura ambiente
1 colher (chá) de essência de baunilha

CALDA

450 ml de água
150 g de açúcar
6 colheres (sopa) de rum
1 colher (chá) de essência de baunilha

1. Preaqueça o forno a 180°C.
2. Misture a farinha, o fermento e o sal. Reserve.
3. Com a batedeira, bata as gemas e o açúcar até obter um creme fofo. Ainda batendo, adicione o leite quente, a mistura de farinha de trigo e a manteiga. Ao final, a baunilha.
4. Numa tigela separada, bata as claras com uma pitada de sal até ficarem firmes, mas não secas. Incorpore as claras à massa. Distribua a massa em forminhas imediatamente, preenchendo-as até a metade. Leve ao forno por cerca de 20 minutos ou até escurecerem por cima. Não desenforme.
5. Para a calda, ferva a água com o açúcar numa panela média e deixe cozinhar por 2 minutos. Retire e misture o rum e a baunilha. Derrame lentamente sobre os bolinhos, até que o líquido seja absorvido. Deixe os cupcakes nas fôrmas até que tenham absorvido o máximo da calda. Espere esfriar. Pode servi-los em temperatura ambiente, com uma porção de chantilly ou creme de confeiteiro. Eles duram alguns dias na geladeira.

CUPCAKES DE MIRTILO

A torta de mirtilo, com mirtilos silvestres frescos, é uma delícia. Mas mirtilos congelados também podem ser usados, e em qualquer época do ano.

14-16 UNIDADES PADRÃO OU 7-8 GRANDES

MASSA
Veja Cupcakes torta de chocolate (p. 152)

RECHEIO DE MIRTILO
350 g de mirtilos (se for usar congelados, não descongele)
240 ml de creme de leite fresco
100 g de açúcar
3 ovos
1 colher (chá) de essência de baunilha
chantilly (opcional)

1. Preaqueça o forno a 180°C.
2. Siga as instruções da receita Cupcakes torta de chocolate (p. 152) para abrir a massa de torta e forrar as forminhas. Para as maiores, use um cortador de 10 cm de diâmetro.
3. Distribua os mirtilos em forminhas já forradas, mas sem passar da metade.
4. Bata o creme de leite, o açúcar, os ovos e a baunilha. Distribua esse creme sobre os mirtilos. Asse por 25 minutos ou até que o creme firme. Deixe esfriar antes de desenformar.
5. Sirva os cupcakes com uma porção de chantilly. Se tiver usado forminhas de silicone, transfira-os para bonitas forminhas de papel.

DICA
Use fôrmas de silicone ou de papel.

CUPCAKES STRUDEL

O strudel é conhecido como uma especialidade vienense, mas é comum em todo o Leste Europeu. É possível que seja uma derivação da baklava, provavelmente levada à Europa pelos turcos durante o Império Otomano. Em geral, o strudel é feito com maçã, mas também fica bom com cereja, ricota e damasco, entre outros ingredientes. Veja a seguir algumas receitas diferentes para experimentar.

12 UNIDADES

MASSA
225 g de massa folhada
125 g de manteiga derretida já morna

RECHEIO
4 maçãs médias sem casca picadas
2 colheres (sopa) de suco de limão--siciliano
100 g de açúcar (mais ou menos a gosto)
60 g de nozes picadas
25 g de uvas-passas
1 colher (chá) de canela
25 g de farelo de pão preto ou amêndoas moídas
chantilly (opcional)

1. Preaqueça o forno a 180°C.
2. Forre fôrmas de silicone com a massa folhada, de acordo com as orientações dadas na receita de Cupcakes baklava (p. 155).
3. Para o recheio, coloque a maçã numa tigela grande. Adicione o limão e mexa para cobrir bem as maçãs, assim elas não escurecerão. Junte o restante dos ingredientes e misture bem. Coloca-se farelo de pão ou amêndoas moídas para absorver o líquido. Continue como nos Cupcakes baklava, mas com este recheio.
4. Sirva em porções individuais com um pouco de chantilly.

VARIAÇÃO: RECHEIO DE CEREJA

250 g de cerejas sem caroço frescas, congeladas ou descongeladas (use qualquer tipo de cereja, mas as mais azedas são melhores), 100 g de açúcar (ou a gosto), 60 g de amêndoas moídas, 1 colher (chá) de canela.

VARIAÇÃO: RECHEIO DE RICOTA

360 g de ricota (ou queijo cottage), 50 g de açúcar, 1 ovo levemente batido, 3-5 colheres (sopa) de uvas-passas, 2 colheres (chá) de raspas de laranja e limão-siciliano.

CUPCAKES DE BOSTON

Trata-se de uma variação do bolo conhecido como Boston cream cake. São duas camadas de bolo branco entremeadas com creme, aberto dos lados e coberto por cima.

18 UNIDADES PADRÃO OU 9 GRANDES

300 g de farinha de trigo
2 colheres (chá) de fermento em pó
1 colher (chá) de sal
125 g de manteiga sem sal em temperatura ambiente
200 g de açúcar
3 gemas de ovo bem batidas
180 ml de leite
1 colher (chá) de essência de baunilha

CREME DE CONFEITEIRO

360 ml de leite
1 fava de baunilha ou 1 colher (chá) de essência de baunilha
100 g de açúcar
35 g de farinha de trigo
2 ovos, mais 2 gemas
Ganache de chocolate (p. 81)

1. Preaqueça o forno a 180°C.
2. Misture a farinha, o fermento em pó e o sal. Reserve.
3. Bata a manteiga e o açúcar até obter um creme fofo. Adicione as gemas, uma por vez, e bata bem. Junte aos poucos, alternadamente, os ingredientes secos e o leite. Por último, coloque a baunilha.
4. Distribua a massa em fôrmas de silicone, preenchendo-as até ⅔. Asse por 20-25 minutos ou até que, ao espetar um palito, ele saia limpo. Retire do forno e deixe esfriar.
5. Para o creme de confeiteiro, aqueça numa panela pequena o leite e a baunilha. Quando ferver, tire do fogo. Retire a fava de baunilha, corte-a ao meio no sentido do comprimento e raspe as sementes no leite. Descarte a fava.
6. Numa tigela refratária grande, misture o açúcar, a farinha, os ovos e as gemas com um batedor, até ficar leve e cremoso. Leve ao banho-maria e vá acrescentando aos poucos o leite, sem parar de mexer. Cozinhe até começar a ferver. Retire e continue mexendo por alguns minutos para liberar o vapor e evitar que o creme continue a cozinhar. Deixe esfriar antes de usar.
7. Corte os cupcakes ao meio – se tiver feito os maiores, você pode cortá--los em três camadas. Recheie com o Creme de confeiteiro e cubra com a Ganache de chocolate.

MINIPUDINS DE CARAMELO COM CABELO DE ANJO

Não, você não entendeu mal! Estes pudins são mesmo feitos com o macarrão cabelo de anjo, o mesmo usado na sopa. Imagine a cara de seus convidados quando souberem qual é o ingrediente principal.

16 UNIDADES

50 g de uvas-passas
2 colheres (sopa) de rum
1 litro de leite integral
200 g de açúcar
175 g de macarrão cabelo de anjo
4 ovos, claras e gemas separadas
uma pitada de sal
caramelo (caseiro ou comprado pronto)
Creme inglês (p. 164)

PARA DECORAR
cerejas cristalizadas
nozes ou castanhas moídas

1. Deixe as uvas-passas de molho no rum por 1 hora. Preaqueça o forno a 180°C.
2. Numa panela grande, aqueça o leite com o açúcar. Quando começar a ferver, coloque o macarrão e deixe cozinhar por 8-10 minutos, mexendo sempre. Retire e deixe esfriar.
3. Acrescente as uvas-passas e as gemas, uma por vez, batendo bem após cada adição.
4. Bata as claras em neve com sal até ficarem firmes, mas não secas. Misture de leve ao macarrão.
5. Coloque um pouco de caramelo (cerca de 1 cm) no fundo de forminhas de tamanho padrão. Distribua a massa sobre o caramelo, preenchendo até ¾. Asse por cerca de 15 minutos ou até firmar. Deixe esfriar completamente antes de desenformar.
6. Cubra-os com o Creme inglês, decore com cerejas cristalizadas e nozes moídas e sirva em porções individuais.

DICA
Se for preparar o caramelo, use cubos de açúcar em vez de açúcar em pó.

CLAFOUTIS COM CREME INGLÊS

O clafoutis é uma sobremesa tradicional francesa, muito consumida em casa. Na receita, usam-se cerejas, mas elas podem ser substituídas por qualquer outra fruta.

16 UNIDADES PADRÃO OU 8 GRANDES

75 g de amêndoas moídas
185 g de farinha trigo
1½ colher (chá) de fermento em pó
1 colher (chá) de sal
125 g de manteiga sem sal em temperatura ambiente
200 g de açúcar
2 ovos levemente batidos
120 ml de leite
1 copinho de licor de cereja (opcional)
250 g de cerejas sem caroço (se usá-las congeladas, não descongele antes)
cerejas ao marasquino para decorar

CREME INGLÊS

1 litro de leite integral
1 fava de baunilha ou 1 colher (chá) de essência de baunilha
6 gemas
100 g de açúcar

1. Preaqueça o forno a 180°C.
2. Misture as amêndoas, a farinha, o fermento e o sal. Reserve.
3. Bata a manteiga e o açúcar até obter um creme claro e fofo. Adicione um ovo por vez, misturando bem após cada adição. Acrescente aos poucos, alternadamente, os ingredientes secos e o leite. Junte o licor e bata até ficar homogêneo. Por fim, adicione as cerejas sem caroço.
4. Distribua a massa nas forminhas de silicone, preenchendo-as até ⅔. Asse por 20-25 minutos ou até que, ao espetar um palito, ele saia limpo. Retire do forno, cubra com as cerejas ao marasquino e deixe esfriar.
5. Para o creme inglês, ferva o leite e a baunilha numa panela média e retire do fogo. Corte a fava de baunilha ao meio e raspe as sementes sobre o leite. Descarte a fava.
6. Numa tigela grande, misture as gemas e o açúcar. Aos poucos, adicione o leite, mexendo sempre. Quando todo o leite estiver incorporado e homogêneo, leve esse creme ao fogo baixo, sem parar de mexer. A colher de pau é ótima para isso. O creme vai ficar mais espesso, mas não deixe ferver – estará pronto quando cobrir as costas da colher. Retire e passe para outro recipiente. Mexa por mais alguns minutos para liberar o vapor. Deixe esfriar por completo antes de servir com os clafoutis.

CUPCAKES CHARLOTTE DE MORANGO

Estes bolinhos franceses de morango são deliciosos, em especial durante a safra de morangos. Existem muitas variações, mas esta receita é uma das melhores, pois a gelatina mantém o creme firme, assim ele não se desfaz ao ser desenformado.

12 UNIDADES GRANDES

aromatizantes (essência de baunilha, kirsch, licor de morango etc.)
calda (ferva 240 ml de água com 200 g de açúcar)
500 g de morangos picados e amassados
200 g de açúcar
2 colheres (chá) de gelatina
3 colheres (sopa) de água fria
3 colheres (sopa) de água fervente
1 colher (sopa) de suco de limão--siciliano
360 g de chantilly
1 pacote de biscoitos tipo champanhe (os mais macios absorvem melhor o líquido)
Calda de morango (p. 168) para servir

1. Adicione um aromatizante à calda e deixe esfriar.
2. Numa tigela grande, misture os morangos picados e amassados ao açúcar.
3. Em outra tigela pequena, hidrate a gelatina em 3 colheres (sopa) de água fria, até dissolver. Junte os morangos e misture bem. Acrescente o suco de limão. Quando começar a firmar, misture de leve o chantilly.
4. Mergulhe rapidamente os biscoitos champanhe na calda (mas não deixe encharcar) e forre as forminhas de cupcake grandes, o fundo e as laterais, com os biscoitos, encaixando bem. Recheie as forminhas forradas com o creme de morango e leve à geladeira de um dia para outro.
5. Com cuidado, passe uma faca lisa ao redor e desenforme sobre pratos individuais. Sirva com a Calda de morango.

DICA

Você pode substituir o suco de limão-siciliano por suco de laranja. Ou a calda por suco de laranja, como na receita da p. 182. Assim ficará menos doce, e o sabor da laranja combina com o do morango.

CUPCAKES FLORESTA NEGRA

A inspiração para estes cupcakes é o tradicional bolo alemão Schwarzwälderkirschtorte, uma combinação de chocolate, cerejas e chantilly de dar água na boca.

16-18 UNIDADES PADRÃO OU 8 GRANDES

- 250 g de farinha de trigo
- 2 colheres (chá) de fermento em pó
- 1 colher (chá) de sal
- 100 g de cacau em pó
- 125 g de manteiga sem sal em temperatura ambiente
- 300 g de açúcar
- 2 ovos
- 360 ml de leite
- 1 colher (chá) de essência de baunilha
- 120 ml de kirsch ou licor de cereja (opcional, mas vivamente recomendado!)

RECHEIO E COBERTURA

- 240 ml de chantilly
- 200 g de açúcar de confeiteiro
- ½ colher (chá) de essência de baunilha
- 1 colher (sopa) de kirsch ou licor de cereja (opcional)
- 1 vidro de cerejas ao marasquino (sem o líquido)
- chocolate amargo ralado para salpicar

1. Preaqueça o forno a 180°C.
2. Misture a farinha, o fermento, o sal e o cacau. Reserve.
3. Bata a manteiga e o açúcar até obter um creme fofo. Adicione um ovo por vez, batendo bem após cada adição. Acrescente aos poucos, alternadamente, a mistura de farinha e o leite. Por fim, junte a baunilha e bata bem.
4. Distribua a massa nas forminhas, preenchendo-as até ⅔. Asse por 25 minutos ou até que, ao espetar um palito no centro, ele saia limpo. Retire do forno e deixe esfriar.
5. Desenforme os cupcakes, corte-os ao meio ou em três camadas e regue com o licor.
6. Para o recheio e a cobertura, bata o chantilly numa tigela grande até começar a formar picos. Acrescente o açúcar, a baunilha e o licor. Bata até ficar firme. Espalhe metade do chantilly sobre as camadas de bolo e distribua cerejas por cima, mas reserve algumas para a decoração. Cubra o topo e as laterais com o chantilly e decore com as cerejas. Salpique o chocolate ralado e sirva individualmente, em forminhas de papel bonitas.

DICA

Se for época de cerejas, substitua as cerejas ao marasquino por cerejas frescas.

ESPETINHOS DE CUPCAKE

Esta variação do tema é perfeita para festas ou mesmo para uma sobremesa elegante, dependendo do efeito desejado. Qualquer receita de minicupcakes fica bem aqui. A seguir, veja duas versões diferentes.

12 ESPETINHOS

MINICUPCAKES
Fondant branco (p. 142 ou comprado pronto)
corantes comestíveis de 3 cores
doces ou frutas frescas
espetinhos

CALDA DE MORANGO
350 g de morangos
100 g de açúcar
60 ml de água
algumas gotas de limão-siciliano
chantilly para decorar

DICA
Esta calda de morango pode ser guardada na geladeira ou no freezer, para uso posterior.

1. Siga a receita dos Minicupcakes Lamington (p. 178), dos Minifinanciers (p. 110) ou dos Cupcakes para ocasiões especiais (p. 175).
2. Faça o Fondant branco ou compre-o pronto e prepare conforme as instruções do fabricante. Divida-o em três tigelas e use os corantes para colorir cada porção de uma cor. Mergulhe os cupcakes nos fondants e transfira-os para uma grade, para secar.
3. Coloque 3 cupcakes em cada espetinho, montando uma das seguintes decorações:

VARIAÇÃO ESPETINHOS DE FESTA

Alterne os cupcakes com balas de goma ou de gelatina. Coloque sobre uma bela travessa decorada com outros doces. Será um sucesso em festinhas de criança.

VARIAÇÃO ESPETINHOS DE SOBREMESA

Alterne os cupcakes com frutas. Para fazer a calda, lave e limpe os morangos e leve-os ao fogo numa panela com água e açúcar. Quando começar a ferver, cozinhe por 1 minuto e retire. Bata com um batedor ou no liquidificador com algumas gotas de limão. Deixe esfriar. Espalhe um pouco dessa calda num prato e coloque os espetinhos por cima. Sirva o restante da calda num recipiente à parte, para que os convidados possam se servir. É uma ideia similar à do fondue.

MINIPUDINS DE VERÃO

Esta receita é de origem irlandesa, mas é muito popular também na Inglaterra e na Escócia. Costuma ser feita no verão, época das frutas vermelhas na Europa.

8 UNIDADES GRANDES

700 g de frutas vermelhas (amora, morango, framboesa, cereja etc.)
100 g de açúcar (a gosto, dependendo da fruta usada)
5-6 colheres (sopa) de água
8-10 fatias finas de pão branco sem a casca
chantilly
ramos de hortelã para decorar (opcional)

1. Numa panela grande, misture de leve as frutas, o açúcar e a água, e leve ao fogo, até o açúcar dissolver. Não cozinhe demais para que as frutas não se desfaçam. Retire e deixe essa calda esfriar um pouco.
2. Corte círculos do pão branco para colocar no fundo de forminhas de silicone (para cupcakes grandes). Forre também os lados; todo o interior das fôrmas tem de ficar bem coberto. Coloque então as frutas, reservando um pouco da calda. Cubra com papel-alumínio e leve à geladeira de um dia para outro.
3. Quando estiverem prontos, vire-os em uma travessa e regue com um pouco da calda reservada. A fruta terá encharcado o pão, que ganhará uma linda tonalidade roxa. Sirva com chantilly e um ramo de hortelã.

DICA
Frutas congeladas ficam ótimas nesta receita.

DACQUOISE DE CHOCOLATE E AVELÃ

A dacquoise é um clássico da confeitaria francesa que leva merengue de avelã e glacê. Aqui, ela é feita com amêndoas e avelãs e recheada com ganache de chocolate.

10 UNIDADES

Merengues de amêndoa e avelã (p. 150)

GANACHE DE CHOCOLATE
180 g de chocolate amargo picado
180 g de creme de leite
açúcar de confeiteiro para polvilhar

1. Faça os merengues conforme as receitas da p. 150, em fôrmas de silicone de tamanho padrão. Coloque 1 cm de merengue cru em cada fôrma ou desenhe círculos (do diâmetro do fundo das fôrmas) sobre papel-manteiga, distribuindo-os num tabuleiro. Preencha-os com merengue, usando um saco de confeitar, formando uma base de 1 cm de altura.

2. Leve ao forno até o merengue dourar e ficar firme ao toque. Espere esfriar na fôrma.

3. Para a ganache, coloque o chocolate e o creme de leite numa tigela refratária e leve ao fogo, em banho-maria. Aqueça até ficar morno e o chocolate começar a derreter. Retire e mexa até o chocolate derreter por completo e o creme ficar homogêneo. Mergulhe a tigela na água fria. Quando estiver frio, bata a ganache por 10 minutos com a batedeira, até a cor ficar mais clara e se formarem pequenos picos brilhantes.

4. Quando os discos de merengue estiverem frios, forre as forminhas de cupcake com forminhas de papel. Coloque um disco no fundo de cada uma e espalhe a ganache por cima. Ponha outro disco por cima e pressione sobre o recheio. Cubra com filme de PVC e leve à geladeira por 2 horas. Polvilhe açúcar antes de servir.

DICA
É possível fazer estes cupcakes em fôrmas de silicone ou até sem fôrmas.

MINIGELATINA DE FRUTAS COM VINHO BRANCO

Esta surpreendente sobremesa – nada mais do que salada de fruta em gelatina de vinho branco – tem formato de cupcake. Trata-se de uma opção elegante para qualquer época do ano, aproveitando as frutas da estação. Finaliza com perfeição uma refeição mais sofisticada.

12 UNIDADES PADRÃO OU 6 GRANDES

500 g de frutas frescas, lavadas e picadas (pera, morango, banana, abacaxi, pêssego, laranja, maçã etc.)
1 colher (sopa) cheia de gelatina sem sabor em pó (ou similar)
240 ml de água
100 g de açúcar
240 ml de vinho branco seco
1 colher (sopa) de suco de limão-siciliano

1. Prepare as frutas. Coloque-as sobre papel-toalha para absorver o excesso de umidade.
2. Dissolva a gelatina em 120 ml de água numa tigela refratária, em banho-maria. Uma vez dissolvida, retire do fogo, mas mantenha sobre a água quente.
3. Numa tigela grande, misture o restante da água, o açúcar, o vinho e o suco de limão. Bata com um batedor até o açúcar dissolver. Acrescente a gelatina e continue batendo. Despeje 5 mm desse líquido dentro de cada fôrma de silicone (de tamanho padrão ou maior). Leve as fôrmas à geladeira até a gelatina firmar (cerca de 1h).
4. Retire e preencha as forminhas com frutas variadas. Distribua o restante da gelatina sobre as frutas, cobrindo-as com mais 5 mm do líquido. Leve novamente à geladeira por, pelo menos, 6 horas.
5. Para desenformar, passe uma faca lisa (com bastante cuidado!) ao redor e vire sobre uma travessa. Mantenha na geladeira até a hora de servir.

TORTINHAS DE SOBREMESA

A massa é moldada pela forminha de papel e pode ser feita com chocolate amargo, ao leite ou branco. As tortinhas de chocolate branco ficam uma delícia recheadas com frutas vermelhas frescas, e as de chocolate amargo ficam ótimas com framboesas. Para festinhas, podem ser recheadas com doces e servidas em belas forminhas de papel.

12 UNIDADES

425 g de chocolate branco
330 g de frutas vermelhas frescas ou congeladas
açúcar a gosto
Calda de framboesa (p. 96)
chantilly (opcional)

1. Derreta o chocolate em banho-maria, numa tigela refratária sobre panela com água fervente, ou no micro-ondas.
2. Com um pincel, unte as forminhas de papel distribuídas numa fôrma de muffins com o chocolate derretido (que deve estar frio ao toque, mas com boa consistência para espalhar). Leve a fôrma à geladeira por cerca de 20 minutos, ou até o chocolate firmar. Retire e faça outra camada. Pode ser que você precise derreter o chocolate novamente para ficar na consistência certa. Retorne a fôrma à geladeira até que o chocolate se solidifique. Se quiser tortinhas mais espessas, acrescente uma terceira camada.
3. Quando o chocolate estiver duro, retire-o das forminhas de papel com cuidado. Você pode guardar essas bases em local fresco e seco ou congelar para uso futuro.
4. Recheie as bases com as frutas vermelhas, salpique por cima o açúcar e regue com calda de framboesa. Se quiser, sirva com chantilly.

CUPCAKES PARA OCASIÕES ESPECIAIS

Perfeitos para aniversários, casamentos, formaturas e chás de bebê e de cozinha, cada um é composto, na verdade, por dois cupcakes – um de tamanho padrão e outro míni – unidos pela cobertura, seja qual for a escolhida para a ocasião.

10 CUPCAKES PADRÃO
E 10 MINICUPCAKES

CUPCAKES GÉNOISE
250 g de açúcar
6 ovos
250 g de farinha de trigo
125 g de manteiga sem sal derretida e já morna
essência (baunilha, amêndoa etc.)
CORANTE (OPCIONAL)
Fondant branco (p. 142)

1. Preaqueça o forno a 180°C.

2. Coloque o açúcar e os ovos numa tigela refratária e leve ao fogo, em banho-maria. Com um batedor ou um mixer, bata bem até obter um creme claro, que forme picos suaves. O processo deve durar 10-15 minutos. Retire do fogo e incorpore de leve a farinha, a manteiga e a essência.

3. Com cuidado, distribua a massa nas forminhas de tamanho padrão e míni (10 de cada), preenchendo-as até ⅔. Asse por cerca de 20 minutos (um pouco menos no caso dos minicupcakes), até dourarem ou até que, ao espetar um palito, este saia limpo. Retire do forno e deixe esfriar.

4. Adicione corante ao fondant, conforme a ocasião (por exemplo, azul no caso de um chá de bebê). Separe um pouco para mergulhar os minicupcakes.

5. Para finalizar, mergulhe os cupcakes de tamanho padrão (já frios) no fondant e, depois, faça o mesmo com os menores. Coloque os mínis sobre os grandes e decore-os.

CUPCAKES FAR BRETON

O Far Breton é uma especialidade da Bretanha, no noroeste da França, que possui uma herança celta. É uma espécie de pudim rústico, feito com ameixas, perfeito para ser servido no inverno. O melhor é fazê-los em forminhas de silicone, mais fáceis para desenformar, e servi-los com Creme inglês quente, aromatizado com rum.

12 UNIDADES

12 ameixas sem caroço
1 copinho de rum para deixar as ameixas de molho (cerca de 60 ml)
115 g de farinha de trigo
uma pitada de sal
100 g de açúcar
2 ovos levemente batidos
360 ml de leite integral
65 g de manteiga sem sal derretida e já fria
açúcar de confeiteiro para polvilhar
Creme inglês (p. 164) para servir

1. Deixe as ameixas de molho no rum por 1 hora, virando-as de vez em quando. Escorra o líquido e reserve-o. Reserve também as ameixas.
2. Preaqueça o forno a 180°C.
3. Numa tigela grande, misture a farinha, o sal e o açúcar. Bata os ovos com o leite e a manteiga e adicione esse líquido aos ingredientes secos, batendo bem com um mixer ou uma colher de pau. A massa vai ficar líquida. Junte 2 colheres (sopa) do líquido escorrido das ameixas.
4. Coloque uma ameixa em cada forminha (tamanho padrão) e distribua a massa por cima até a metade. Leve ao forno por 35 minutos ou até dourar bem. A massa vai crescer e depois murchar quando esfriar. Retire e deixe esfriar.
5. Polvilhe o açúcar e sirva numa travessa com Creme inglês aromatizado com um pouco do rum usado na demolha das ameixas.

DICA
Você pode servi-los em belas forminhas de papel, polvilhados com açúcar de confeiteiro.

MINICUPCAKES LAMINGTON

Um Lamington é um quadradinho de bolo simples ou pão de ló mergulhado no chocolate com açúcar e polvilhado com coco ralado. É um quitute australiano.

40 MINICUPCAKES

300 g de farinha de trigo
2 colheres (chá) de fermento em pó
1 colher (chá) de sal
125 g de manteiga sem sal em temperatura ambiente
150 g de açúcar
2 ovos
1 colher (chá) de essência de baunilha
120 ml de leite
300 g de coco ralado um pouco torrado

COBERTURA DE CHOCOLATE

3 colheres (sopa) de água fervente
1 colher (sopa) de manteiga sem sal
35 g de cacau em pó
300 g de açúcar de confeiteiro

1. Preaqueça o forno a 180°C. Misture a farinha, o fermento em pó e o sal. Reserve.
2. Bata a manteiga e o açúcar até ficar leve e fofo. Junte um ovo por vez, misturando bem após cada adição. Adicione a baunilha. Incorpore aos poucos, alternadamente, a mistura de farinha e o leite, batendo sempre até obter uma massa lisa.
3. Distribua a massa em forminhas de silicone para minicupcakes, colocando 1 colher (sopa) cheia em cada uma. Leve ao forno por 15 minutos ou até dourar bem por cima. Retire e deixe esfriar.
4. Espalhe o coco ralado sobre uma folha de papel-manteiga ou numa travessa rasa. Reserve.
5. Para fazer a cobertura, despeje água fervente sobre a manteiga. Adicione o cacau e misture bem. Vá juntando o açúcar e bata com a batedeira até obter um creme. O chocolate deve ficar liso e brilhante (e também líquido o suficiente para cobrir os cupcakes – junte mais água fervente, se necessário).
6. Usando dois garfos, mergulhe os cupcakes no chocolate e depois passe pelo coco. Reserve até que esfriem. Eles resistem bem ao congelamento.

CUPCAKES SUNDAE

Sirva estes bolinhos como se fossem sorvetes tipo sundae, em taças, e com todos os acompanhamentos. A calda aqui é de chocolate, mas você pode usar qual quiser.

16 UNIDADES

CUPCAKES DE BAUNILHA E AMENDOIM

300 g de farinha de trigo
2 colheres (chá) de fermento em pó
125 g de manteiga sem sal
120 g de açúcar mascavo
2 ovos
1 colher (chá) de essência de baunilha
180 ml de leite
60 g de amendoins salgados moídos

CALDA DE CHOCOLATE

240 ml de creme de leite fresco
60 ml de glicose de milho
360 g de chocolate de boa qualidade (55% de cacau, pelo menos)
65 g de manteiga sem sal
1 colher (chá) de essência de baunilha
sorvete de sua preferência
amendoins picados, chantilly e cerejas em calda para decorar

1. Preaqueça o forno a 180°C.
2. Misture a farinha e o fermento. Reserve.
3. Bata a manteiga e o açúcar até ficar leve e fofo. Adicione um ovo por vez, batendo bem após cada adição. Vá alternando a mistura de farinha, o leite e a essência, batendo sempre. Junte os amendoins.
4. Distribua a massa em forminhas de tamanho padrão, enchendo-as até ⅔. Asse por 20-25 minutos ou até que, ao espetar um palito no centro, ele saia limpo. Retire do forno e deixe esfriar.
5. Para fazer a calda, aqueça numa panela o creme de leite, a glicose de milho e o chocolate, mexendo sem parar. Mantenha em fervura leve por 5-10 minutos ou até que comece a ficar espessa. Retire e junte a manteiga e a baunilha. Deixe esfriar um pouco antes de usar.
6. Cave com uma faca afiada um buraco sobre cada cupcake, com o diâmetro de um boleador de sorvete. Coloque os bolinhos em taças e, dentro de cada um, uma bola de sorvete. Despeje a calda por cima. Decore com amendoins, chantilly e cerejas.

CUPCAKES ÓPERA

"Ópera" é o nome de um doce em camadas vendido nas mais finas confeitarias da França. Não é difícil de fazer, mas exige tempo e paciência. O doce tradicional é cortado em retângulos, e vem com uma folhinha dourada (e comestível, claro), por cima. Esta é uma versão simplificada.

12 UNIDADES RETANGULARES PEQUENAS OU 6 GRANDES

BISCOITO GIOCONDA (BISCUIT JOCONDE) – RECEITA TRADICIONAL:

65 g de manteiga sem sal
125 g de amêndoas bem moídas
130 g de açúcar, mais 2 colheres (sopa)
35 g de farinha de trigo
4 ovos, claras e gemas separadas
uma pitada de sal
Ganache de chocolate (p. 171) feito com 120 g de chocolate e 120 ml de creme de leite
½ receita de Cobertura moca (p. 70)
folhinhas douradas ou açúcar de confeiteiro para decorar

1. Preaqueça o forno a 130°C.
2. Derreta a manteiga e espere esfriar.
3. Bata as amêndoas, 130 g de açúcar, a farinha e as gemas até obter um creme leve e espumoso (10 minutos, pelo menos).
4. Numa tigela separada, bata as claras com o sal e o restante do açúcar, até ficarem firmes, mas não secas. Incorpore de leve à massa de amêndoas. Misture com cuidado a manteiga derretida já fria, usando um batedor ou uma espátula.
5. Distribua em forminhas de silicone até um pouco mais da metade. Asse por cerca de 10 minutos, ou até escurecerem por cima.
6. Deixe esfriar e desenforme. Corte-os em três camadas iguais.
7. Bata metade da ganache com a batedeira por cerca de 5-10 minutos ou até ficar claro e fofo. Se a outra metade endurecer enquanto isso, volte ao fogo no banho-maria, até ficar na consistência certa.
8. Espalhe a Cobertura moca sobre a primeira camada. Cubra com a segunda camada e espalhe a ganache batida. Cubra com a terceira camada e espalhe por cima a ganache mais líquida. Decore com as folhinhas douradas comestíveis ou açúcar de confeiteiro e sirva em forminhas de papel bonitas.

CUPCAKES CHARLOTTE DE CHOCOLATE

Charlotte de chocolate é uma sobremesa muito querida no sul da França. Esta é a versão em cupcake dessa sobremesa.

8-10 UNIDADES GRANDES

240 g de chocolate amargo
125 g de manteiga sem sal cortada em pedacinhos
100 g de açúcar
3 ovos, claras e gemas separadas
120 ml de creme de leite fresco
uma pitada de sal
1 pacote de biscoitos tipo champanhe (os mais macios absorvem melhor o líquido)
suco de laranja

PARA DECORAR

chantilly ou Calda de framboesa (p. 96)
calda de chocolate e rosas

1. Derreta o chocolate, a manteiga e o açúcar num recipiente refratário, em banho-maria. Retire do fogo imediatamente e acrescente as gemas uma a uma, batendo bem após cada adição. Reserve e deixe esfriar. Quando estiver frio, junte o creme de leite. A massa vai aumentar de tamanho e ganhar consistência.
2. Bata as claras com uma pitada de sal até ficarem firmes, mas não secas. Incorpore de leve ao creme de chocolate.
3. Mergulhe rapidamente os biscoitos champanhe no suco de laranja – eles não podem ficar encharcados. Corte os biscoitos no tamanho certo e use-os para forrar as laterais das forminhas grandes de silicone. Preencha com o creme de chocolate até quase o topo. Cubra com mais biscoitos mergulhados no suco de laranja, encaixando-os bem para cobrir o chocolate. Deixe na geladeira de um dia para outro.
4. Retire das forminhas e sirva-os de ponta-cabeça em belas forminhas de papel ou numa travessa, decorados com chantilly ou Calda de framboesa (p. 96), calda de chocolate e rosas.

CUPCAKES DE CREME DE LEITE COM FLOCOS DE MILHO

Esta é uma receita leve e saborosa, de aparência elegante. É muito fácil de fazer, e pode ser servida em qualquer ocasião.

12 UNIDADES

CREME DE LIMÃO
200 g de açúcar
raspas e suco de 1 limão-siciliano
480 ml de creme de leite fresco

BASE
125 g de manteiga sem sal em temperatura ambiente
75 g de biscoitos simples triturados
75 g de flocos de milho triturados
2 colheres (sopa) de açúcar
fatias de limão cristalizado para decorar

1. Para o creme de limão, misture o açúcar, o suco e as raspas numa tigela grande. Incorpore aos poucos o creme de leite.
2. Para a base, derreta a manteiga numa panela em fogo baixo e misture aos biscoitos e flocos de milho triturados com o açúcar.
3. Forre o fundo das forminhas com a base e distribua o creme por cima. Leve ao freezer por 3 horas. Retire das fôrmas, decore com as fatias de limão e sirva.

DICA
Estes cupcakes podem ser feitos em forminhas de papel, metal ou silicone.

ÍNDICE